Je tourne la tête pour jeter un coup d'œil dans la chambre d'amis, sans y entrer.

Mon cœur s'arrête de battre.

Une chauve-souris noire, aux longues ailes gracieuses et luisantes, entre par la fenêtre ouverte et se pose sur le rebord. Elle a les yeux fixés sur les cages. Toutes en même temps, les chauves-souris se réveillent, ouvrent les yeux et déploient leurs ailes. Certaines bâillent en révélant des crocs pointus.

Et alors...

La chauve-souris sur le rebord de la fenêtre commence à se transformer. Ses ailes disparaissent et sont remplacées par de longs bras gracieux. Son corps trapu et velu s'allonge pour prendre une forme humaine. Pendant que je la contemple, les yeux écarquillés et le cœur battant, sa petite tête se métamorphose en visage humain. Un visage humain connu.

Déjà parus dans la collection

NOIR POISON

Morte de peur

Mimi McCoy

Sombre secret

Ruth Ames

Sombre secret

Ruth Ames

Texte français d'Isabelle Allard

Je voudrais remercier AnnMarie Anderson, Becky Shapiro, Abigail McAden, Yaffa Jaskoll et toute l'équipe de Scholastic, pour avoir fait en sorte que ce livre ne morde pas la poussière; mes chers amis, pour avoir toléré mon imagination fantaisiste; et mon incroyable famille, pour m'avoir raconté des histoires sur les Carpates.

Catalogage avant publication de Bibliothèque et Archives Canada

Ames, Ruth (Ruth Aline)
Sombre secret / Ruth Ames ;
texte français d'Isabelle Allard.

(Noir poison)
Traduction de: This totally bites!

ISBN 978-1-4431-0343-5

I. Allard, Isabelle II. Titre. III. Collection: Noir poison

PZ23.A472So 2010 j813'.6 C2010-903198-9

Illustration de la couverture : Katie Wood
Conception graphique de la couverture : Yaffa Jaskoll

Édition publiée par les Éditions Scholastic,
604, rue King Ouest, Toronto (Ontario) M5V 1E1.

5 4 3 2 1 Imprimé au Canada 121 10 11 12 13 14

Pour ma grand-mère,
Margaret, avec tout mon amour.

Chapitre un

La pièce est glaciale et plongée dans l'obscurité totale.

J'entre sur la pointe des pieds, le cœur battant. Le silence semble m'engloutir. Je jette un coup d'œil par-dessus mon épaule, en espérant que nul ne m'a suivie. On dirait bien que je suis seule. J'essuie mes mains moites sur ma jupe de satin et prends une grande inspiration.

C'est alors que je les vois.

Venant de toutes les directions, tels de minuscules points lumineux, plusieurs paires de petits yeux rouges démoniaques me regardent fixement.

Je sens un frisson d'épouvante me parcourir l'échine, mais je résiste à l'envie de m'enfuir. Je dois aller de l'avant. Je ne peux plus reculer.

Soudain, une voix étrangement familière s'élève dans l'obscurité :

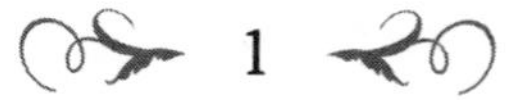

— Emma-Rose!

Je m'immobilise. Ils connaissent mon *nom?*

La voix reprend, avec plus d'insistance :

— Emma-Rose! Allez, debout, jeune fille!

Quoi?

Je cligne des yeux. Une autre pièce se matérialise devant moi. Des rideaux violets. Du papier peint noir parsemé de crânes rose vif. Au-dessus d'un bureau en bois, un portrait de ma meilleure amie, Gaby, que j'ai fait au fusain...

Oh!

Je suis dans ma chambre. Ma mère est penchée sur moi, les sourcils froncés. Mon pouls ralentit à mesure que je reprends contact avec la réalité.

C'est ma mère qui m'appelait. Je *rêvais.*

J'ai encore fait cet horrible cauchemar. Une fois de plus.

— Il est passé sept heures, ma chérie. Il ne faudrait pas que tu sois encore en retard à l'école, dit maman en regardant mon réveil.

J'ai dû appuyer sur le bouton d'arrêt durant mon sommeil.

— Je sais, dis-je en grognant.

Je m'assois en repoussant mes cheveux de ma figure.

Depuis que j'ai eu douze ans, en août dernier, j'ai

beaucoup de mal à m'endormir. Je ne cesse de me retourner dans mon lit, des pensées se bousculent dans ma tête, et je ne m'endors jamais avant l'aube. Ces derniers temps, mes rêves sont hantés par les créatures aux yeux rouges luisants.

En bâillant, je regarde maman se diriger vers la fenêtre et tirer les rideaux. J'ai un mouvement de recul, puis je suis soulagée en voyant que c'est une belle journée. Au-dessus de Central Park, le ciel est d'un gris d'orage, le vent d'automne souffle en rafales et le tonnerre gronde. Je souris. Je suis tout à fait réveillée maintenant.

Bon, je sais que la plupart des gens — comme mes parents, Gaby et à peu près tous les gens normaux — préfèrent la chaleur et le soleil. Mais le temps morne me convient mieux. Je me suis toujours sentie légèrement différente des autres, c'est tout.

Sa mission accomplie, maman sort de la chambre.

— Il y a des saucisses et des œufs pour le déjeuner! chantonne-t-elle en partant.

Mon estomac gargouille. La perspective des saucisses (et de la pluie) réussit à me tirer du lit. Je me lève, et le tapis noir à poil long chatouille mes pieds nus. Maman et moi nous sommes longtemps disputées au sujet de cette carpette. Elle ne comprenait pas pourquoi je n'en voulais pas une jaune vif.

Heureusement, papa a dit qu'il était important que je m'exprime de manière créative. Je suis cent pour cent d'accord avec lui. Plus tard, j'aimerais devenir dessinatrice de mode ou décoratrice d'intérieur, ou les deux.

Après avoir pris ma douche, j'enfile l'un de mes ensembles préférés : une robe noire en tricot, des collants violets et de hautes bottes noires. Puis je vais rejoindre mes parents dans la cuisine trop lumineuse. Maman prépare du café et papa mange des céréales en regardant le journal télévisé. Dehors, huit étages plus bas, Manhattan bourdonne de vie. Le bruit des klaxons de taxis et d'autobus s'élève dans les rues.

Maman me tend une assiette de saucisses, d'œufs brouillés et de rôties.

— Oh, Emma-Rose, soupire-t-elle en apercevant ma robe. Vas-tu au moins essayer de porter des teintes pastel, un jour?

Mes parents adorent les couleurs claires. Ce matin, maman porte un tailleur-pantalon bleu clair, et papa est vêtu d'un tee-shirt blanc et d'un pantalon kaki. Mais les différences entre mes parents et moi vont au-delà de nos goûts vestimentaires. Je ne leur ressemble pas du tout. Maman est une blonde aux yeux gris et papa a les cheveux châtains et les yeux bruns. Ils bronzent tous les deux facilement. De mon côté, j'ai de longs cheveux noirs, des yeux bleu foncé et une peau blanche qui se transforme en joli rouge homard après deux minutes au soleil. Mon amie Gaby se plaît à dire que j'ai été adoptée, et je dois avouer que cette possibilité m'a traversé l'esprit.

— Hum, fais-je en m'asseyant à côté de papa à la petite table. Des pastels? Peut-être la semaine... des quatre jeudis!

— Bonjour à toi aussi, mademoiselle la bougonneuse, dit papa en éteignant le téléviseur.

Il me sourit en agitant ses sourcils bruns-roux.

— Sois gentille avec ta mère, me réprimande-t-il gentiment. Elle a une grosse journée de travail qui l'attend.

Papa est caricaturiste et travaille à la maison. Il est donc généralement le parent le plus décontracté.

Maman hoche la tête en versant du café dans son thermos argenté.

— Nous mettons la touche finale à l'exposition Créatures de la nuit, confirme-t-elle. L'inauguration aura lieu dans deux semaines.

J'ai un frisson d'excitation en attaquant mon déjeuner. Maman travaille au Musée d'histoire naturelle, situé à quelques pâtés de maisons de notre immeuble. Ce musée est célèbre pour ses os de dinosaures, mais il présente également des expositions fascinantes sur des thèmes comme les papillons et les monstres des mers. Maman est la responsable de ces expositions. À chaque nouvelle inauguration, elle et papa vont à une réception au musée. Cette année, pour la première fois, elle m'a donné la permission d'assister au gala d'ouverture. J'ai tellement hâte!

— Et bien sûr, notre invitée spéciale arrive cet après-midi, dit papa en se levant pour aller porter son bol dans l'évier.

— Notre invitée? dis-je en regardant mes parents tour à tour, perplexe.

Au même moment, Bram, notre chien de berger à longs poils, fait irruption dans la pièce en aboyant. Comme d'habitude, quand je me penche pour le caresser, il s'éloigne. Je pousse un soupir.

— Tu ne te souviens pas? demande maman en contournant le chien pour aller vérifier l'écran de son téléphone. Ta grand-tante Margot vient nous rendre visite de Roumanie. Elle était consultante externe de l'exposition, et elle vient donner un coup de main pour la soirée d'inauguration.

C'est vrai. Je me souviens d'avoir entendu parler de Margot, la tante de ma mère, qui vit toujours dans la petite ville européenne d'où maman est originaire. Mon père est né à New York, comme moi, mais maman est arrivée aux États-Unis avec ses parents lorsqu'elle était encore un bébé. J'étais très petite quand mes grands-parents sont morts, et je ne sais presque rien de mes origines européennes.

J'allais demander quel sera le rôle de tante Margot, quand la sonnette de porte retentit. Bram se met à japper comme un fou. Mes parents me regardent et nous disons à l'unisson :

— Gaby!

Chaque matin, Gaby passe me chercher pour marcher jusqu'à l'école. Malheureusement, elle finit souvent par y aller sans moi, car je me lève souvent trop tard. Gaby est très ponctuelle.

— Je vais la faire entrer en sortant, dit maman. À ce soir!

Elle embrasse papa, me fait un câlin et sort de la cuisine.

Une seconde plus tard, Gaby apparaît, ses boucles couleur de miel tombant en cascade sur son cardigan vert. Bram lui saute dessus, enfonçant ses petites griffes dans son jean et agitant frénétiquement la queue. C'est triste, mais vrai : mon chien me déteste et adore ma meilleure amie.

— Hé, mon beau! dit-elle à Bram en le grattant derrière les oreilles. Bonjour, monsieur Blanchard, dit-elle à mon père, qui est en train de faire la vaisselle.

Puis elle se tourne vers moi, une lueur taquine dans ses yeux noirs :

— Je *savais* que tu serais prête ce matin, Emma. Il fait un temps comme tu l'aimes.

Gaby me comprend. Elle me comprend depuis la première année, quand j'étais la seule élève qui voulait rester à l'intérieur et dessiner durant la récréation. Un jour, tout naturellement, elle s'est éloignée de la cage à grimper et des jeux de ballon pour venir s'asseoir près de moi et dessiner, elle aussi. Et Gaby *adore* faire du sport et courir dehors. Mais elle avait simplement décidé que j'avais besoin de quelqu'un pour me tenir compagnie. Alors, on a dessiné ensemble, et à la fin de la récré, nous étions inséparables.

Nous le sommes toujours. Gaby vit à cinq minutes de chez moi. Si je ne suis pas chez elle, elle est ici. Nous passons des heures à nous mettre du vernis à ongles (noir pour moi, violet pour elle), à télécharger de la musique, à nous échanger des bracelets et à parler, parler, parler. Nous avons d'autres amies, comme Padma Lahiri et Cathy Edgar, avec qui nous mangeons chaque midi. Mais je ne suis pas aussi proche d'elles. Je suis fille unique, et Gaby est comme ma sœur.

— Attends, j'ai presque fini, dis-je, la bouche à moitié pleine, en avalant le reste de ma saucisse.

— Prends le temps d'avaler, Emma-Rose! lance papa par-dessus le bruit du robinet.

Gaby secoue la tête.

— Je ne sais pas comment tu peux manger ça, dit-elle avec dédain.

Gaby est végétarienne et supporte généralement mes envies de hamburger, tout comme je dois tolérer ses salades. Mais ma meilleure amie peut parfois être agaçante quand elle commence à vanter les mérites des fèves germées.

— C'est facile, dis-je en prenant mon verre de jus de canneberges. Tu sais, j'ouvre la bouche, j'y mets de la nourriture, je mâche... Je peux te donner du tofu pour t'exercer.

Elle me tire la langue, puis nous éclatons de rire. Papa nous regarde comme si nous étions cinglées, ce qui nous fait rire encore plus. Quand nous finissons par nous calmer, je mets mon assiette dans l'évier et prends mon sac à dos.

Nous disons au revoir à mon père et à Bram (qui m'ignore totalement), et nous sortons.

Dans le vieil ascenseur grinçant, Gaby me fait face, les yeux écarquillés.

— Allez, raconte, chuchote-t-elle. Est-ce que c'est encore arrivé?

— Le rêve, tu veux dire? Bien sûr.

Je frissonne en y repensant. Gaby est la seule personne à qui j'ai parlé du cauchemar qui revient sans cesse.

Les portes à panneaux de chêne de l'ascenseur s'ouvrent. Nous traversons l'entrée de l'immeuble.

— J'aimerais comprendre ce que ça veut dire, dis-je en saluant le portier, James.

Nous sortons dans la bruine fraîche d'octobre.

Gaby tapote sa lèvre inférieure d'un air pensif. Avec deux parents psychologues, son petit frère Carlos et elle sont toujours en train de tout analyser.

— Ce cauchemar représente peut-être tes inquiétudes, dit-elle d'un air songeur.

— Des inquiétudes à quel sujet?

Je lève la tête pour observer les gargouilles qui dépassent du haut de l'immeuble. Il y en a quatre — quatre visages affreux et hargneux sculptés dans la pierre et dégoulinants de pluie. Quand j'étais petite, je m'amusais à faire semblant que mon immeuble était une immense maison hantée pleine de recoins, plantée au beau milieu du quartier Upper West Side. J'aime encore m'amuser avec cette idée de maison hantée, surtout par un temps gris comme aujourd'hui.

— Le conseil étudiant, répond Gaby en ouvrant son parapluie. Tu es nerveuse à cause de la réunion d'aujourd'hui.

— Je n'ai pas besoin d'un rêve pour m'apprendre ça, dis-je avec un soupir.

Je prends le bras de Gaby et me blottis contre elle sous son parapluie. Nous nous dirigeons vers le nord, le long de Central Park. Les passants se hâtent vers le métro en buvant du café, leur téléphone cellulaire collé à l'oreille.

— Mais si tu as raison, dis-je, c'est ta faute.

En septembre, Gaby a déclaré que nous devions nous inscrire à une activité parascolaire. Elle disait que cela ferait bonne impression dans nos demandes d'admission au collège. Quand je lui ai rappelé que nous étions en secondaire I — et qu'elle suivait déjà des cours de ballet et moi des cours de dessin —, elle s'est contentée de me jeter un de ses regards sérieux et m'a dit de lui faire confiance.

Voilà comment j'ai été contrainte de faire partie du conseil étudiant, dont les rencontres ont lieu chaque lundi et jeudi après-midi. Jusqu'ici, les réunions ont été plutôt ennuyeuses. Le seul avantage, c'est que Gaby et moi en profitons pour nous mettre au courant des dernières nouvelles, puisque notre seule période ensemble cette année est le repas du midi. Au moins, la réunion d'aujourd'hui concerne la fête d'Halloween, une des rares activités qui m'intéressent. L'Halloween est ma fête préférée. C'est la seule fois de l'année où tout le monde est aussi fasciné que moi par les trucs sinistres et lugubres.

— Désolée, Emma, dit joyeusement Gaby. Mais tu ne peux pas tout le temps rester cachée dans ta chambre à dessiner en évitant le monde extérieur.

Nous traversons la 86e rue et voyons apparaître notre école.

Pourquoi pas? me dis-je avec amertume. Ce type d'activité me semble bien plus agréable que toute autre activité parascolaire. Gaby ne me comprend peut-être pas si bien que ça, après tout.

Chapitre deux

— À l'ordre! À l'ordre!

Alexandra Lambert, la présidente du conseil étudiant, frappe son maillet rose à paillettes sur le bureau.

Oui. Un maillet rose à paillettes. La mère d'Alexandra, qui est juge, l'a fait faire expressément pour sa précieuse fille. Et Alexandra adore se servir de ce maillet.

Bang. Bang.

— À l'ordre, tout le monde! dit Alexandra de sa voix haut perchée. Nous avons des choses importantes à régler.

— Premier point à l'ordre du jour, dis-je à Gaby en chuchotant. Voler le maillet rose et l'enterrer quelque part.

Gaby met sa main sur sa bouche pour étouffer son

rire. Il est 15 h 30. Nous sommes au fond de la classe 101, le quartier général du conseil étudiant du secondaire premier cycle. Notre école est divisée en deux niveaux : secondaire premier cycle et secondaire deuxième cycle. Le conseil du premier cycle est généralement présidé par un élève de deuxième secondaire. Mais cette année, il n'y avait aucun doute qu'Alexandra serait notre digne dirigeante, bien qu'elle soit en première secondaire, comme moi. Puisque le président peut choisir son cabinet, les meilleurs amis d'Alexandra sont aussi en position de pouvoir.

Beurk.

En ce moment, Alexandra est debout devant le tableau. Elle s'efforce d'obtenir l'attention des quinze autres membres qui bavardent, envoient des messages texte ou se reposent simplement de ce lundi exténuant. La représentante des profs, Mme Grimm, est assise sur le bord de la fenêtre. Elle lit le *New York Times* en jetant des coups d'œil à la pluie diluvienne, comme si elle souhaitait s'échapper. Je la comprends.

Mme Grimm enseigne les études sociales. Elle est jeune et jolie, avec des cheveux brun clair et une voix douce. Ce matin, en classe, elle nous a donné un travail à faire pour le trimestre : un devoir de généalogie sur notre famille. Comme je le mentionnais à mon amie Padma après le cours, elle a réussi à rendre ce projet intéressant. Cette enseignante est toujours pleine d'énergie en classe, mais quand arrive l'heure du conseil étudiant, elle semble épuisée et laisse Alexandra diriger la réunion.

— C'est le temps de prendre les présences! annonce Alexandra quand les élèves commencent à se calmer. Hugo, peux-tu t'en charger? ajoute-t-elle en battant des cils et en rejetant ses cheveux blond platine par-dessus son épaule.

Hugo Gilbert, le vice-président, se lève et prend la planchette qu'elle lui tend. Lorsqu'il se tourne vers la classe, je sens mes joues s'empourprer légèrement.

Gaby me sourit d'un air entendu, avant de se pencher pour écrire dans la marge de mon cahier. *Avoue*. Je me mords la lèvre et écris à mon tour, en appuyant fortement sur le papier : *jamais*.

Ce qu'elle veut que j'avoue, c'est que j'ai le béguin pour Hugo Gilbert. Elle en est persuadée. D'accord, c'est vrai qu'Hugo est plutôt beau. Il est le plus grand de notre classe, et a des cheveux noirs ondulés et des yeux vert clair pétillants. *Mais* il est aussi le capitaine de l'équipe de soccer et fait partie du réseau d'Alexandra. Je ne tomberai jamais sous le charme d'un garçon de ce genre. Le garçon que j'aimerai écoutera de la musique punk, portera toujours du noir et collectionnera les araignées. Et peut-être, seulement peut-être, ressemblera-t-il un peu à Hugo Gilbert. Je n'ai pas encore rencontré ce garçon.

Gaby commence à écrire autre chose, mais elle lève la tête quand Hugo lance :

— Gabrielle Marquez?

— Ici! répond-elle en souriant.

Gaby admet ouvertement qu'elle trouve Hugo séduisant et intelligent. Ils sont ensemble en cinquième période, dans le cours d'études sociales de Mme Grimm. Elle dit qu'Hugo obtient toujours des A à ses examens. Toutefois, sa préférence va à Milo, un garçon de son cours de ballet. Elle est convaincue qu'un gars qui a le courage de suivre des cours de ballet doit être super (même si elle ne lui a jamais adressé la parole).

Hugo lève les yeux de sa liste. Il esquisse un petit sourire et dit :

— Blanche Blanchard?

Je me redresse, irritée. Voilà un autre défaut d'Hugo. Il trouve très amusant que mon nom de famille soit Blanchard et que j'aie la peau si blanche. Chaque fois que je le croise dans le couloir, il me sourit et fait la même blague. C'est une autre raison pour laquelle je ne l'aimerai jamais.

— Ici, dis-je, la tête baissée. Et mon nom, c'est, heu... c'est Emma-Rose.

— S'il te plaît, contente-toi de dire les vrais noms,

Hugo, intervient Mme Grimm en levant les yeux de son journal.

Après la prise des présences, Alexandra écrit les mots « Fête d'Halloween » au tableau, en faisant cliqueter les breloques de son bracelet. Puis elle ajuste sa ceinture blanche sur sa robe de couleur pêche. (Ma mère approuverait sûrement la garde-robe pastel d'Alexandra.)

— Attention, tout le monde! déclare-t-elle. La date de la fête a été changée à cause de la soirée du deuxième cycle. Notre fête aura donc lieu le vendredi 31 octobre, le jour même de l'Halloween. Il nous reste moins de deux semaines pour tout organiser.

On entend des grognements dans la classe. Mon cœur se serre. J'échange des regards déçus avec Gaby. La soirée d'inauguration du musée a aussi lieu le soir de l'Halloween! Et avant de partir, j'avais prévu faire la tournée des bonbons dans mon immeuble avec Gaby. Nous savons que nous sommes un peu trop grandes pour ça, mais cette tradition annuelle est si amusante que nous avons du mal à y renoncer.

— Alors, comme ça les élèves de deuxième cycle auront *leur* fête le samedi? demande Zora Robinson, une gentille élève de deuxième secondaire qui porte ses cheveux noirs coiffés en petites nattes serrées.

— C'est injuste! proteste Robert Chang, secrétaire

du conseil, meilleur ami d'Hugo et capitaine de l'équipe de basketball.

— On ne pourra pas passer l'Halloween? demande Ève Epstein, trésorière du conseil, meilleure amie d'Alexandra et mon bourreau numéro un en gym.

Alexandra jette un regard dédaigneux à Ève, puis réplique d'un ton si glacial que mes cheveux se hérissent sur ma nuque.

— Tu n'es pas sérieuse, Ève? Ne me dis pas que tu passes encore l'Halloween!

Silence.

— Oh, heu... dit Ève avec un petit rire nerveux. Non, bien sûr que non! Je blaguais!

Elle tripote son bracelet à breloques, identique à celui d'Alexandra. Le visage empourpré, elle baisse les yeux sur ses ballerines de cuir verni, également identiques à celles d'Alexandra.

La princesse Alexandra se fait obéir de ses sujets! écrit Gaby dans mon cahier. Je fais un croquis rapide d'Ève avec des X à la place des yeux et la langue pendante. Gaby glousse.

— Mais la fête ne commencera pas avant 19 h, dit Hugo en enfonçant ses mains dans les poches arrière de son jean. Alors, pour ceux d'entre vous qui aimeraient *peut-être* passer l'Halloween avant, vous aurez le temps de le faire.

Il incline la tête en souriant. Je déteste l'admettre, mais il a un beau sourire.

Alexandra lève les yeux au ciel. Mais quand Hugo lui jette un coup d'œil, elle arbore un sourire feint et se met à parler du nouveau programme de recyclage de l'école. Entre-temps, Gaby m'écrit un autre message : *Fiou! À nous, les bonbons!*

Je hoche la tête, mais je n'ai pas le cœur à lui répondre. Je suis heureuse de pouvoir passer l'Halloween, mais le gala de ma mère, tout comme la fête, aura aussi lieu à 19 h.

J'avais tellement hâte d'assister au gala! J'avais même décidé ce que je porterais : une jupe courte en satin noir avec une bordure en tulle et une blouse mauve à jabot. Il devait y avoir des hors-d'œuvre, un groupe de musique et des célébrités. Lors du dernier gala, maman a rencontré le maire et au moins quatre acteurs de cinéma.

Mais je ne peux pas rater la fête de l'école. Je sais que Gaby, Padma et Cathy veulent à tout prix y participer. Malgré mes problèmes avec Alexandra et sa bande, je veux aussi y aller. Ce sera tellement cool de danser avec mes amis et de me déguiser. J'hésite entre un déguisement gothique ou un costume d'Hermione. Ou peut-être d'Hermione gothique.

Qu'est-ce que je vais faire? me dis-je en mâchonnant

le bout de mon stylo. Le gala ou la fête? Je ne peux pas être aux deux endroits en même temps. Je vais devoir choisir.

Une heure plus tard, je rentre chez moi, impatiente de discuter de mes problèmes d'Halloween avec mon père. Je n'ai pas pu en parler avec Gaby parce que sa mère est venue la chercher pour aller chez le dentiste. J'espère que mon père me donnera de bons conseils.

En déposant mon parapluie trempé dans l'entrée, j'entends des voix et des rires dans le salon. C'est curieux. D'habitude, mon père est dans son bureau à cette heure-ci, et maman ne rentre pas du travail avant 18 h. Je dépose mon sac à dos, secoue mes cheveux humides et me dirige vers le salon. Dans le couloir sombre, Bram est endormi sur son gros coussin. Le spectacle qui m'attend dans le salon me coupe le souffle.

Maman et papa sont assis sur le canapé avec la femme la plus étrange que j'aie jamais vue. Elle a la peau ultra blanche, des lèvres rouge rubis et des cheveux d'un noir de jais remontés en un chignon compliqué. À son cou, un pendentif noir brillant en forme de papillon est suspendu à un ruban de velours. Sa robe noire flottante est imprimée de balafres rouge vif. Ses ongles sont longs et couverts d'un vernis rouge foncé. Un trait de ligneur noir agrandit ses yeux et lui donne une allure dramatique.

La femme se tourne vers moi et son visage s'éclaire.

— Emma-Rrrose! Comme je souis heurrreuse de te rencontrer! s'exclame-t-elle avec un accent marqué.

Elle se lève si gracieusement qu'elle semble flotter.

— Hum, fais-je en regardant mes parents, indécise.

Je voudrais demander *Qui êtes-vous?* mais cela pourrait paraître impoli.

— Approche, ma chérie, dit maman. Viens embrasser ta grand-tante Margot.

Je suis si étonnée que je peux à peine bouger. La tante Margot, c'est elle? Elle ne ressemble pas du tout à sa sœur, ma grand-mère. Grand-maman, dans mon souvenir, avait les cheveux argentés, des rides et les mêmes yeux gris pétillants que maman. Le visage de Margot est lisse et d'allure jeune, et ses yeux sont d'un bleu foncé profond, presque marine.

Quand elle s'approche de moi en écartant les bras, je frissonne en me rendant compte d'une chose. Ma grand-tante Margot... me ressemble.

Bien sûr, elle est une version plus âgée, et plutôt belle, de moi-même. Mais il y a une grande ressemblance. La voit-elle, elle aussi? Je me pose la question pendant qu'elle me serre dans ses bras. Elle est étonnamment forte, et me coupe pratiquement le souffle en m'étreignant. Sa joue, pressée contre la mienne, est froide, mais son étreinte est chaleureuse et accueillante. Je hume un parfum riche et fleuri.

Lorsqu'elle se redresse, mon regard tombe sur son pendentif. En le voyant de plus près, je m'aperçois qu'il ne s'agit pas d'un papillon. Les ailes noires sont longues et ont une courbure familière.

— Mais c'est... une chauve-souris! dis-je d'un ton surpris.

Je regrette aussitôt mes paroles. Ce sont là les premiers mots que j'adresse à ma grand-tante? C'est brillant. Je m'empresse d'ajouter avec franchise :

— Heu, je veux dire, c'est super!

J'observe la minuscule bête incrustée de pierreries. C'est le genre de bijou que j'aurais pu acheter moi-même.

Un sourire apparaît lentement sur le visage de Margot. Ses dents paraissent très blanches entre ses lèvres rouges.

— Tou l'aimes, ma petite? Alorrrs, il faudra que je te montre ma collection!

— Oh, êtes-vous joaillière? lui dis-je.

J'ai toujours cru que mes talents artistiques venaient de mon père, mais je les ai peut-être hérités de ma grand-tante Margot.

— Non, Margot est biologiste, interrompt maman en se levant pour s'approcher de nous.

Je suis déçue. J'aurais cru que Margot avait un travail beaucoup plus prestigieux.

— Elle est même très célèbre, poursuit maman. Elle est la plus grande spécialiste de *Desmodus rotundus* en Roumanie.

— Qu'est-ce que c'est? dis-je en regrettant de ne pas avoir été plus attentive durant le cours de science.

— Le vampirrre commun, répond Margot en souriant.

Un autre frisson me parcourt l'échine. Je demande d'une voix tremblante :

— Est-ce que ce sont... ces chauves-souris qui sucent le sang des gens?

Je me souviens en avoir vu au canal Découverte lors du spécial d'Halloween, l'an dernier.

— Oui, mais ne t'inquiète pas, dit papa en se levant à son tour. Celles que Margot a apportées ici sont mortes depuis longtemps.

— Ici? dis-je en regardant autour de moi. Il y a des chauves-souris dans notre appartement?

Ça me dégoûte et ça me fascine en même temps.

— Elles sont dans la chambre d'ami, explique papa, qui sourit en voyant mon expression. Margot est aussi taxidermiste, c'est-à-dire qu'elle est experte dans l'art d'empailler les animaux morts pour leur donner une apparence vivante.

— Comme au musée? dis-je en songeant aux ours, loups et cerfs empaillés qui sont exposés au Musée d'histoire naturelle.

J'ai grandi en voyant ces animaux, mais je n'ai jamais réfléchi au fait qu'ils ne sont pas des statues. Ils ont déjà été *vivants*.

— Exactement, ajoute maman. C'est la contribution de Margot à notre exposition. Elle nous confie la plus grande collection de chauves-souris empaillées du monde.

Ah, voilà ce que Margot voulait dire en parlant de sa « collection ». Je sens mon cœur battre à grands coups. La chambre d'ami est juste à côté de la mienne. Peut-être que je pourrai y jeter un coup d'œil plus tard.

Margot lève un sourcil, comme si elle pouvait lire dans mes pensées. Je détourne le regard. J'imagine le message que je vais envoyer à Gaby : *Ma grand-tante est bizarre. Encore plus bizarre que moi!*

— Bon, assez parlé travail, dit maman en tapant des mains. Qui a faim?

— Je pensais faire griller des hamburgers, dit papa pendant que maman nous conduit hors du salon. Est-ce que ça convient à tout le monde?

— Je préférerais un végéburger, dit maman, qui a probablement été influencée par Gaby.

— J'aimerais un hamburger bien saignant, dis-je.

— Comme d'habitude! dit papa en souriant.

— Moi aussi, je l'aime saignant, dit Margot en portant la main à son estomac. Ça ferrra du bien de manger un bon repas. La nourritoure d'avion me laisse toujourrrs sur ma faim!

Nous nous dirigeons vers la salle à manger. La table est déjà mise et un grand bol de salade nous attend. Quand nous passons devant Bram, il se réveille en sursaut, les oreilles dressées et le dos arqué.

— Il doit avoir entendu le mot *hamburger*, dit papa en gloussant.

Il se penche pour caresser Bram. J'observe mon chien, dont l'attitude me semble étrange.

Il regarde Margot en grognant doucement. Puis il ouvre la gueule, lève la tête et lance un hurlement assourdissant. Je n'ai jamais entendu Bram, ni aucun autre chien, produire un son pareil. Avant que papa puisse l'arrêter, le chien bondit de son coussin et s'éloigne en courant dans le couloir, ses griffes cliquetant sur le plancher.

— Qu'est-ce qui lui prend? s'exclame papa.

Il regarde fixement Bram, qui a pratiquement laissé un nuage de poussière dans son sillage.

— Ça alors! dis-je en regardant ma grand-tante. On dirait que Bram vient de trouver quelqu'un qu'il aime encore moins que moi!

— Emma-Rose! me sermonne maman.

Mais Margot se met à rire. Elle me serre la main. Ses doigts sont froids comme sa joue, mais cette fois encore, son contact me réchauffe et me réconforte.

— Tou as raison, ma petite. Les chiens et moi ne faisons pas bon ménage.

— Même chose pour moi! dis-je en riant, pendant que nous prenons place à table.

Papa va dans la cuisine préparer les hamburgers. Maman jette un coup d'œil à la salade.

— Chéri! lance-t-elle à papa. Quelle vinaigrette as-tu utilisée?

— La vinaigrette italienne, répond-il. Pourquoi?

Maman soupire, prend le bol et l'apporte à la cuisine.

— Je ne peux pas servir cette salade, dit-elle. Margot est allergique à l'ail.

— *Vraiment?* dis-je d'un ton envieux à ma grand-tante. Je *déteste* l'ail. Pouah! Je voudrais bien être allergique. Maman ne pourrait pas m'obliger à en manger!

— L'ail est très bon pour la santé! rétorque maman de la cuisine.

Margot se penche par-dessus la table et me sourit d'un air espiègle.

— C'est peut-êtrrre bon pour la santé, mais c'est immangeable! chuchote-t-elle.

Je lui souris. Pour la première fois de ma vie, j'ai l'impression qu'un membre de ma famille me comprend. Je suis très heureuse que ma grand-tante soit venue nous rendre visite.

Même si elle est un peu bizarre.

Chapitre trois

Au cours de ce délicieux repas de hamburgers cuits à la perfection, tante Margot nous parle de son village en Roumanie. Un petit village au nom étrange, niché au cœur des montagnes Carpates. La région semble magnifique. Margot nous décrit des forêts vertes luxuriantes, des ruisseaux limpides, des rues étroites en pavé rond et d'anciens châteaux.

Pendant qu'elle parle, et que maman se remémore des photographies que lui ont montrées ses parents, je regarde la silhouette des édifices de Manhattan par la fenêtre. Bien que j'aime les grands immeubles et les trottoirs de béton de New York, je me plais à imaginer cet endroit rural et pittoresque... le lieu où vivaient mes ancêtres! Soudain, je m'aperçois que tante Margot vient de me fournir un excellent point de départ pour mon devoir de sciences sociales.

Tout excitée, j'aide mes parents à faire la vaisselle, puis je me retire dans ma chambre pour le reste de la soirée. Je prends mon ordinateur portable et m'assois en tailleur sur mon lit.

Une fois dans Google, je tape le nom du village de mes ancêtres en Roumanie. Je suis reconnaissante à Google de me faire des suggestions, car j'avais mal orthographié le nom. Je clique sur la page Wikipédia. J'y trouve une belle photo des forêts dont parlait Margot, ainsi qu'une fiche d'informations : population, emplacement géographique, climat. Puis, alors que je parcours rapidement la page, une phrase capte mon attention et me laisse bouche bée :

Situé dans la région autrefois appelée Transylvanie, ce petit village est toujours le berceau de nombreuses légendes de vampires.

Je me redresse, le cœur battant. *La Transylvanie?* Celle du comte Dracula? Je ne savais pas que ma famille venait de là-bas. Curieuse, je poursuis ma lecture, mais un tintement annonce l'arrivée d'un message. C'est Gaby.

Mauvaise nouvelle! Le dentiste dit que j'ai besoin de broches!

Je suis toujours préoccupée par la Transylvanie,

mais j'essaie de prêter attention à ma meilleure amie. J'écris donc une réponse dans l'espoir de la faire sourire.

Tu dois avoir une dent contre lui!

Elle me répond aussitôt :

Pas MDR. Tu peux bien rire, Emma. Tu as des dents parfaites!

Je secoue la tête. Même si mon dentiste a récemment déclaré que je n'aurais pas besoin d'appareil (j'ai célébré cette nouvelle par un festin de bonbons qui m'a causé trois caries), mes dents sont *loin* d'être parfaites. Je me soulève sur mes genoux pour faire face au miroir au-dessus de ma coiffeuse. J'ouvre la bouche en souriant exagérément. Les voilà, de chaque côté de ma bouche, mes dents ultra embarrassantes et ultra pointues. Mon dentiste les appelle des « canines » et a même remarqué que les miennes sont plus pointues que la plupart des gens. Il a eu la délicatesse de ne pas les appeler par leur nom : des crocs.

J'entends un autre tintement et jette un coup d'œil à l'écran de mon ordi.

Et tes « crocs » ne comptent pas! écrit Gaby.

Elle semble triste, alors je lui donne un coup de fil. Nous bavardons un moment. Nous parlons de tante Margot (« vraiment bizarre », selon Gaby), du choix entre fête et gala (« la fête, sans hésitation », décrète Gaby) et de broches (« prends-en des colorées en complément à ton style », lui dis-je). Quand nous raccrochons, il est tard. Je termine le texte d'Edgar Allen Poe que je dois lire pour mon cours d'anglais, brosse mes dents imparfaites, enfile mon pyjama et me glisse sous les couvertures.

Mais, bien entendu, je n'arrive pas à m'endormir.

D'abord, je me tourne sur le côté. Puis sur le ventre, et ensuite sur le dos. Les phares des voitures qui passent projettent d'étranges ombres sur mon plafond. Les gouttes de pluie qui tombent évoquent des tapotements de doigts sur la fenêtre. Je pense à Edgar Allen Poe, à l'Halloween, à Hugo Gilbert (juste une seconde), à ma grand-tante Margot et au devoir de généalogie. Puis je me rappelle la page Wikipédia que j'avais commencé à lire.

Sans allumer la lumière, je me lève et vais à mon bureau. Je m'affale sur ma chaise, ouvre mon portable et reprends ma lecture là où je l'avais interrompue.

Situé dans la région autrefois connue sous le nom de Transylvanie, ce petit village est toujours le berceau de nombreuses légendes de vampires. L'une d'elles parle d'un type de vampires qui peuvent prendre la forme de chauves-souris se nourrissant de sang humain et animal. Autrefois, les villageois les craignaient tellement qu'ils suspendaient des bulbes d'ail au-dessus de leurs portes, car on racontait que l'odeur de l'ail éloignait ces bêtes à crocs.

BANG!

Un grand bruit me fait sursauter. J'en renverse presque ma chaise. Ce bruit n'est pas un coup de tonnerre, ni l'une des sirènes que j'ai l'habitude d'entendre à toute heure du jour et de la nuit. Il ne vient même pas de l'extérieur, mais de la chambre à côté.

La chambre d'amis.

Peut-être que Margot a du mal à dormir, elle aussi. Elle est peut-être en train de défaire sa valise. Nous pourrions peut-être manger une collation ensemble au milieu de la nuit en discutant des légendes de vampires de son village. Je suis curieuse d'en savoir plus. Pour quelqu'un qui adore les histoires d'horreur, je connais très peu de choses sur les vampires.

Je m'avance dans le couloir sur la pointe des pieds. Une fenêtre est ouverte quelque part dans l'appartement, et je frissonne dans mon pyjama. Mes yeux s'habituent à l'obscurité, alors je vois que Bram est de retour sur son coussin et dort profondément. La porte de la chambre de mes parents est fermée, mais celle de la chambre d'amis est entrouverte.

Je m'approche le plus silencieusement possible et m'arrête sur le pas de la porte. La longue pièce étroite est plongée dans l'obscurité. La fenêtre est ouverte à l'autre extrémité. Une brise humide soulève les rideaux diaphanes et vaporeux blancs, les faisant valser comme des fantômes. Des valises luxueuses sont empilées au centre de la pièce, où flotte le parfum de ma grand-tante. Mais aucune trace de Margot elle-même. Le lit est toujours fait et la chambre est déserte.

À l'exception des nombreuses cages remplies de chauves-souris.

Des chauves-souris empaillées, me dis-je en entrant. Je retiens mon souffle, impressionnée à la vue des créatures sombres et silencieuses. Elles sont suspendues à l'envers aux barreaux des cages, leurs ailes cuirassées blotties contre leur corps velu et leurs petits yeux fermés. Comme si elles dormaient, me dis-je en frissonnant.

Margot est encore plus bizarre que je pensais! Place-t-elle ses chauves-souris empaillées dans cette position chaque soir, comme si elles étaient des poupées ou des animaux de compagnie? Et où est-elle passée? Elle ne peut pas être sortie par ce temps pluvieux. Serait-elle dans la cuisine?

Avant que je me retourne pour sortir, un éclair illumine la fenêtre et me fait sursauter. Pendant une seconde, la cage la plus près de moi est éclairée, et je vois que la porte est ouverte. C'est sûrement l'explication du bruit que j'ai entendu plus tôt. Le vent a dû ouvrir la cage. Je me penche pour la refermer.

Soudain, une des chauves-souris ouvre les yeux.

Ses minuscules petits yeux rouges.

J'ai soudain les jambes en coton. Je recule en trébuchant. Sans réfléchir, je me précipite dans le couloir, où je m'adosse au mur en haletant.

Calme-toi, Emma-Rose.

Je pense à ce que la raisonnable Gaby dirait si elle était ici. *C'est ton imagination débordante qui te joue des tours,* me dirait-elle en gloussant. Elle ajouterait probablement que le clair de lune crée des illusions d'optique. Que j'ai encore à l'esprit les histoires de vampires et de chauves-souris que j'ai lues sur Internet. Que je devrais aller me coucher, parce qu'il est absolument impossible que ces chauves-souris soient vivantes.

Alors, pourquoi sont-elles dans des cages?

Il ne m'en fallait pas plus pour piquer ma curiosité,

il fallait que j'en sache plus.

Le dos toujours appuyé au mur, je me glisse vers la porte. Je tourne la tête pour jeter un coup d'œil dans la chambre d'ami, sans y entrer.

Mon cœur s'arrête de battre.

Une chauve-souris noire, aux longues ailes gracieuses et luisantes, entre par la fenêtre ouverte et se pose sur le rebord. Elle a les yeux fixés sur les cages. Toutes en même temps, les chauves-souris se réveillent, ouvrent les yeux et déploient leurs ailes. Certaines bâillent en révélant des crocs pointus.

Et alors...

La chauve-souris sur le bord de la fenêtre commence à se transformer. Ses ailes disparaissent et sont remplacées par de longs bras gracieux. Son corps trapu et velu s'allonge pour prendre une forme humaine. Pendant que je la contemple, les yeux écarquillés et le cœur battant, ses grandes oreilles rapetissent et sa petite tête se métamorphose en visage humain. Un visage humain connu.

Le visage de ma grand-tante Margot.

Je plaque ma main sur ma bouche pour étouffer mon cri. Je voudrais m'enfuir, mais mes jambes refusent de m'obéir.

S'il vous plaît, faites que ce soit un cauchemar. Faites que maman m'appelle et que je me réveille dans mon lit.

Mais je ne me réveille pas. Je reste là, à trembler de la tête aux pieds, en dévisageant ma grand-tante, qui n'est plus une chauve-souris. Elle est debout devant la fenêtre, imposante, et observe toujours les cages. Elle est exactement comme je l'ai vue plus tôt dans la soirée, vêtue de sa robe noire flottante et les cheveux remontés en chignon. Sauf que cette fois, son rouge à lèvres rouge foncé donne l'impression d'être... du sang.

Que devrais-je faire? Crier à l'aide? Réveiller mes parents? Même si je le voulais, ma gorge est trop sèche pour que je puisse produire le moindre son.

Margot tourne lentement la tête. Pendant une seconde terrifiante, je me rends compte qu'elle risque de m'apercevoir. Tout à coup, je suis capable de bouger. Je pivote sur mes talons et cours vers ma chambre. Je referme la porte en tremblant, puis je me jette sur mon lit et m'enfouis sous les couvertures. J'essaie d'empêcher mes dents de s'entrechoquer.

Ai-je tout imaginé? M'a-t-elle vue? Est-ce que je suis en train de perdre la boule? Va-t-elle frapper à ma porte? Les pensées se bousculent dans ma tête et mon cœur bat à grands coups.

Après m'être pincée — très fort — pour vérifier que je suis bien réveillée, j'attends un long moment afin de m'assurer que Margot ne se lancera pas à ma poursuite. Puis je sors la tête des couvertures.

L'appartement est aussi silencieux qu'il l'était avant le bruit fatidique. Il n'y a pas de bruit de voix, ni aucun battement d'ailes. En tendant l'oreille, je peux seulement entendre les ronflements de papa.

Que se passe-t-il dans la chambre d'amis? Est-ce que les autres chauves-souris se sont aussi transformées en humains? Se sont-elles envolées dans la nuit?

Sur mon bureau, l'écran de mon portable est toujours éclairé. Toute cette horrible expérience s'est déroulée si vite que mon ordinateur n'est même pas encore en mode veille. Je sais que je ne dormirai pas beaucoup cette nuit. Mais je ne trouve pas le courage de me lever pour retourner lire la page Wikipédia. De plus, je ne crois pas que ce soit nécessaire. Je me souviens de pratiquement toutes les phrases. Les mots me martèlent encore l'esprit.

Des créatures à crocs. Des bulbes d'ail. Des vampires qui se transforment en chauves-souris.

Des vampires qui se transforment en chauves-souris... et qui viennent du village de ma grand-tante Margot. Margot, qui est « allergique » à l'ail.

Je ramène mes genoux sur ma poitrine et demeure ainsi dans la noirceur pendant que la tempête fait rage à l'extérieur. Toute ma vie, j'ai soupçonné que des secrets se dissimulaient derrière la vie quotidienne, que quelque chose de mystérieux se cachait sous l'apparence de la réalité. Maintenant, j'en ai la preuve.

Une révélation me frappe soudain comme un éclair. C'est complètement fou, mais tellement évident que je ne peux le nier.

Ma grand-tante n'est pas seulement bizarre.

C'est une vampire.

Chapitre quatre

— Qu'est-ce que tu as, ma chérie?

Ma chambre est baignée de soleil. Ma mère est penchée au-dessus de mon lit et me regarde avec des yeux inquiets. Je suis couchée sur le dos et serre mon cahier sur ma poitrine. Hier soir, j'ai commencé à faire des croquis pour me calmer, et j'ai dû m'endormir en dessinant. Maintenant, mes cheveux sont emmêlés et humides de transpiration. J'ai les paupières si lourdes que je peux à peine les ouvrir. Je comprends pourquoi maman est inquiète. C'est bien pire que mon air grincheux habituel du matin.

Qu'est-ce que j'ai? me dis-je. *Eh bien, tu vois, maman, je crois que ta tante Margot est une vampire, alors nous devrions tous porter des cols roulés. Oh, et tu devrais suspendre des têtes d'ail un peu partout.*

Mais je suis trop épuisée pour ouvrir la bouche.

— Je ne t'ai jamais vue aussi pâle, dit maman en touchant mon front. Tu commences peut-être un rhume. Veux-tu rester à la maison aujourd'hui?

Normalement, en entendant ces mots, j'aurais souri en me blottissant plus profondément dans mon lit, surtout par une journée aussi ensoleillée. Mais cette fois, la suggestion de maman ne fait que me remplir d'épouvante. Pas question que je reste enfermée ici avec des chauves-souris vampires. J'en ai beaucoup trop vu hier soir pour me sentir en sécurité dans mon propre appartement.

Il faut que j'avertisse mes parents.

J'essaie de lever la tête de l'oreiller.

— Margot...

Je m'interromps, car un frisson me traverse rien qu'en prononçant son nom.

— Elle n'est pas ici, dit maman.

Quel soulagement! Elle s'est peut-être envolée (vraiment envolée) vers la Roumanie.

— Elle est partie tôt ce matin, à l'aube, pour apporter ses chauves-souris au musée, poursuit maman. Je dois l'y retrouver bientôt, mais je peux y aller plus tard si tu veux. Papa doit terminer un travail aujourd'hui. Il sera dans son bureau toute la journée.

Un sentiment de panique m'envahit.

— Maman, n'y va pas... ne va pas au musée, dis-je

d'une voix entrecoupée. Pas à cause de moi, à cause des chauves-souris. Elles sont vivantes. Elles sont dangereuses. En fait, tu devrais appeler au musée et leur dire...

Je tente de m'asseoir et mon cahier glisse sur le plancher.

Maman s'agenouille pour le ramasser. Elle jette un coup d'œil au dessin que j'ai fait cette nuit : une femme avec une tête et des ailes de chauve-souris. C'était plus fort que moi : il fallait que je dessine ce que j'ai vu. Le fait de dessiner m'aide à comprendre les choses, même celles qui n'ont aucun sens.

— Tu vois? dis-je d'un ton désespéré en désignant le dessin. Je sais que ça semble cinglé, mais je suis allée dans la chambre de Margot la nuit dernière, et j'ai vu des choses terrifiantes.

Maman dépose le cahier sur ma table de chevet en soupirant.

— Emma-Rose, je sais que tu aimes les trucs sinistres et macabres, dit-elle en jetant un coup d'œil au mur couvert de crânes et au livre d'Edgar Allen Poe sur mon bureau. Et comme Margot est un peu excentrique, tu t'amuses à inventer des histoires. Mais tu te rends malade à force de te coucher tard et de dessiner durant la nuit!

Je m'amuse? Elle n'est pas sérieuse!

— Maman, je ne suis pas malade! dis-je avec frustration. Et je n'invente rien du tout. Margot est une...

— Je me souviens quand tu étais petite, m'interrompt maman avec un sourire attendri. Tu disais que notre immeuble était hanté. C'était tellement mignon!

Je lève les yeux au ciel. J'aurais dû savoir que maman ne me croirait pas. Puis une pensée me traverse l'esprit. Maman sait peut-être déjà la vérité sur Margot. Elle est sa nièce, après tout. Peut-être que grand-maman lui a révélé l'identité secrète de Margot il y a des années. Alors, maman réagit de cette façon pour cacher la vérité.

Mais quand j'observe son visage, son expression demeure la même : amusée et un peu inquiète. Pas inquiète à cause d'un sombre secret de famille; seulement inquiète de voir sa fille paniquer à ce point.

Elle me prend par les épaules pour m'aider à me recoucher.

Si elle sait qui est réellement tante Margot, elle ne nous aurait pas exposés à un tel danger, papa et moi. Et pourquoi Margot n'a-t-elle pas essayé de nous mordre, la nuit dernière? Y a-t-il un code de vampire à propos des personnes que l'on peut attaquer ou ne pas attaquer?

Je suis si distraite par ces pensées que j'en oublie

de protester quand maman remonte la couverture.

— Il faut que tu te reposes, dit-elle. Je vais téléphoner à l'école pour leur dire que tu es malade. Papa va être ici, mais appelle-moi au travail si tu as besoin de quelque chose.

Non, toi, appelle-moi si les chauves-souris de tante Margot ressuscitent et se mettent à sucer le sang des employés du musée.

Lorsqu'elle quitte la pièce, je voudrais lui crier que je vais bien. Une partie de moi voudrait marcher jusqu'à l'école avec Gaby et passer une journée tout à fait ordinaire. Mais il semble que dorénavant plus rien ne pourrait être ordinaire. Comment pourrais-je assister à des cours comme les études sociales et la gym sans passer mon temps à m'inquiéter de crocs et de sang? Je me lève donc en titubant et envoie un texto à Gaby pour lui expliquer que je ne suis pas « dans mon assiette ». Je pourrai lui dire toute l'horrible vérité après l'école.

Je me lève et vais jeter un coup d'œil dans la chambre d'amis. Je contemple la « scène du crime » en retenant mon souffle. Les cages sont parties et les valises sont entassées dans un coin. La pièce claire et ensoleillée a l'air tout à fait inoffensive. Durant une fraction de seconde, je me demande si j'ai rêvé ou imaginé les horreurs de la nuit dernière.

Dans la cuisine, papa me prépare une tasse de thé et deux rôties. Il semble préoccupé par sa date de tombée. Je ne tente donc pas de lui parler de Margot. Je suggère qu'il serve de l'ail au souper ce soir. Il me jette un regard soupçonneux et me touche le front, comme maman. Puis il sort promener le chien et me laisse seule dans la cuisine en compagnie uniquement de la télé.

Comme d'habitude, c'est l'heure du journal télévisé. Je prends une gorgée de thé en regardant distraitement l'écran. Puis je sursaute. La journaliste est au coin de la 86e rue et Central Park Ouest, tout près de chez moi. Je vais peut-être voir papa et Bram en arrière-plan.

La journaliste déclare d'un air grave :

— Les habitants du quartier Upper West Side sont inquiets en raison d'une macabre découverte faite par un joggeur tôt ce matin. On a retrouvé les corps sans vie de plusieurs écureuils et ratons laveurs dans Central Park, près de la 86e rue. Les animaux présentaient une étrange marque de morsure à deux trous dans le cou, ce qui a amené certains résidents à se demander si un animal sauvage ne se serait pas échappé du zoo de Central Park.

Ma tasse se met à trembler et du thé bouillant se renverse sur ma main. Je m'en rends à peine compte.

Une vieille femme qui habite dans notre immeuble

apparaît à l'écran.

— Je me souviens que quelque chose de ce genre est arrivé il y a treize ans, dit-elle d'une voix rauque. Personne n'avait attrapé le prédateur à l'époque, mais j'espère qu'ils le trouveront, cette fois.

Puis la caméra se tourne vers un vendeur de hot-dogs :

— C'est horrible, dit-il. On dirait qu'ils ont été tués par un faucon. Ou peut-être un cougar.

Ou par un *vampire*, me dis-je avec un frisson.

Plusieurs vampires, pour être exacte. Des chauves-souris vampires. Je les imagine, une grande volée noire qui quitte notre appartement, dépasse les gargouilles et plane au-dessus du parc obscur.

— Les résidents du quartier devraient éviter le parc à la nuit tombée, reprend la journaliste. Nous vous tiendrons au courant des développements de cette affaire.

Puis ce sont les prévisions météo. Je suis assise sur le bout de ma chaise et mon cœur bat la chamade. C'est une coïncidence troublante. L'endroit, le moment, les morsures. Margot et ses chauves-souris « empaillées » doivent être responsables de ces attaques.

Mais en même temps, je refuse d'y croire. Oui, je l'ai vue sous sa forme de chauve-souris, mais je ne peux toujours pas imaginer ma grand-tante — avec son sourire engageant et son étreinte chaleureuse — en train d'aspirer le sang de bêtes innocentes. De quoi d'autre est-elle capable? me dis-je avec un frémissement. Y a-t-il une façon de les empêcher, elle et ses amis vampires, de provoquer un mouvement de panique dans les rues de New York?

Je dois en apprendre davantage.

Je dépose ma tasse. Mes craintes et mes hésitations font soudain place à une grande détermination. Comme je suis à la maison aujourd'hui, je vais en profiter pour faire des recherches sur les vampires. Ainsi, j'aurai plus d'informations quand je parlerai à mes parents ou quand — *gloup* — je confronterai ma grand-tante.

Papa et Bram entrent au même moment. Papa ne mentionne pas avoir vu des journalistes et va directement dans son bureau. Bram se roule en boule sur son coussin en me lançant un regard furieux. C'est l'occasion parfaite de retourner dans ma chambre et de me mettre au travail.

D'abord, je baisse le store pour bloquer la lumière du jour. Puis je m'assois à mon bureau et mets l'ordi en marche. Mon rythme cardiaque s'accélère en voyant apparaître la page Wikipédia.

Je parcours rapidement le texte, mais je n'y trouve rien de nouveau. Je dois tenter autre chose. Je retourne à Google et tape le nom du village de ma famille, accompagné du mot « vampires ».

Je pousse une exclamation. La recherche a produit presque un *million* de résultats! Certains sites ne font que répéter l'information de Wikipédia, alors que d'autres mentionnent que le comte Dracula lui-même a séjourné dans ce village. Puis j'aperçois une page intitulée « Introduction aux vampires de Transylvanie ». Cela semble prometteur. Je clique sur cette page.

Des caractères rouges et deux illustrations vieillottes se détachent sur un fond noir. L'une montre un bal somptueux, avec des femmes vêtues de robes élégantes et des hommes en habit. L'autre représente un homme avec une cape noire, qui découvre ses crocs et se penche sur une femme en pâmoison. Sous les dessins se trouve une liste avec l'en-tête « Caractéristiques des vampires » :

Aversion pour le soleil

Vie nocturne, chasse seulement la nuit

Peau claire et froide au toucher

Incapacité d'apparaître dans les miroirs ou les photographies

Incapacité de vieillir au-delà d'un certain âge; immortalité également

Appétit pour le sang et la viande saignante

Force surhumaine

Tendance à effrayer les animaux domestiques comme les chiens et les chats
Capacité de se transformer en chauve-souris.

Je hoche la tête, bouleversée. Le dernier point est indéniable, mais les autres sont également pertinents. Tante Margot est exactement celle que je pense.

Il est vrai que je n'ai pas de preuve — pas encore — qu'elle n'apparaît pas dans les miroirs ou les photographies. Ni qu'elle est immortelle. Mais elle a la peau pâle et fraîche. D'après l'étreinte qu'elle m'a donnée hier, elle est très forte. De plus, elle a fait peur à Bram et demandé un hamburger saignant.

Attends une minute.

Je m'interromps, les doigts figés sur le clavier. Une sensation glaciale envahit mon estomac.

Margot mange ses hamburgers saignants, a la peau claire et fait peur à Bram...

Exactement... comme moi.

Le froid s'étend à mes membres. Je prends une grande inspiration pour tenter de garder mon calme. Je lis de nouveau la liste à partir du début, en portant attention à chaque détail.

Je sais ce que signifie le mot *aversion*. C'était dans l'examen de français la semaine dernière. Cela veut dire qu'on n'aime pas quelque chose. Comme moi, qui n'aime pas le soleil.

J'ai une aversion pour le soleil, fait une petite voix dans ma tête.

Je retiens mon souffle en passant au deuxième point.

Nocturne. Un autre mot dont le sens est évident : cela a un rapport avec la nuit. La nuit, quand je suis bien réveillée, les sens aiguisés et l'esprit en alerte. Comme si j'étais prête à...

Chasser.

Non.

De petits frémissements remontent le long de mes bras comme des araignées. Qu'est-ce qui me prend? Comment puis-je penser une chose pareille? Je ne dois pas me laisser distraire. Je suis en train de faire des recherches sur les vampires. Sur tante Margot. Cela n'a rien à voir avec moi.

Je parcours le reste de la page et arrive à un paragraphe que je lis avidement :

La région des Carpates, historiquement appelée Transylvanie, ce qui signifie littéralement « de l'autre côté de la forêt », abrite depuis longtemps de grandes dynasties de vampires. Selon la légende, les jeunes garçons et filles de ces anciennes familles commencent à présenter les traits mentionnés plus haut autour de l'âge de douze ans. Leur transformation complète en vampire s'opère peu de temps après. On croit que le vampirisme est transmis par la filiation maternelle et peut parfois sauter des générations.

Je fixe l'écran avec tant d'intensité que mes yeux brûlent. Le mot *filiation* faisait aussi partie de l'examen la semaine dernière. Il désigne le lien généalogique entre l'enfant et ses parents, ainsi que les générations qui précèdent. Dans ce cas-ci, entre moi et ma mère.

Et sa famille. Comme sa tante Margot.

Ce qui veut dire...

Mon pouls s'accélère.

Ma grand-mère n'aurait pas pu être une vampire puisqu'elle est morte. Les vampires ne vieillissent pas et vivent éternellement. Quant à ma mère, il est impossible qu'elle soit une vampire. Elle aime les végéburgers et le soleil. Elle dort bien la nuit. Bram l'aime. Et elle est... ma mère.

Il ne reste donc qu'une personne.

Ma gorge se serre.

Moi.

Étourdie, je me lève et vais me regarder dans le miroir. Me voilà, dans mon pyjama chiffonné, mes

cheveux noirs négligemment attachés. Mon visage a la pâleur d'un fantôme, et mes yeux marine — semblables à ceux de Margot — sont écarquillés de terreur.

Tu vois, tu te reflètes dans le miroir! me dis-je pour me rassurer. Mais quand j'ouvre la bouche toute grande, je vois mes canines pointues.

Une autre caractéristique de vampire.

Je ressemble à ma grand-tante sur bien des points. J'ai du mal à dormir. J'ai des crocs. J'ai pratiquement tous les traits qui figurent sur la liste.

Mon cœur bat si fort que j'ai l'impression qu'il va sortir de ma poitrine.

Est-ce la raison pour laquelle je me suis toujours sentie différente?

Je regarde autour de moi. Tout me paraît normal : mon lit défait, ma tablette de croquis avec le dessin de la femme chauve-souris, mes rideaux violets, mon étagère. Mais rien n'est normal, à présent.

La nuit dernière, ce que j'ai aperçu dans la chambre de ma grand-tante m'a désarçonnée. Mais ce que j'ai appris aujourd'hui est encore plus stupéfiant. Jamais, au grand jamais, je n'aurais pu imaginer une chose pareille.

Chapitre cinq

— Je suis une vampire.

Gaby vient d'ouvrir la porte de sa maison. Elle me dévisage, bouche bée.

Je répète ma confession en levant le menton et en réprimant le tremblement de ma voix.

— Je suis une vampire.

Gaby m'observe encore un moment en écarquillant ses yeux bruns. Puis elle sourit lentement.

— Quelle bonne idée! dit-elle en sautillant sur place dans ses espadrilles en toile. Une vampire! Pourquoi n'y avons-nous pas pensé plus tôt? Tu as le teint idéal. Tu n'auras qu'à étaler du faux sang autour de ta bouche et acheter des crocs en plastique. Ce sera le meilleur costume d'Halloween de...

Elle s'interrompt en voyant que je ne ris pas. Et que je ne dis rien.

Je reste plantée là, avec mes lunettes de soleil et mon gros sac marin.

Un peu plus tôt, dans ma chambre, j'avais compris deux choses : je devais parler à Gaby le plus vite possible et je ne pouvais pas affronter ma grand-tante ce soir — que ferais-je si elle me proposait d'aller chasser avec elle?

C'était de la torture d'attendre toute la journée, mais dès 14 h 30, j'ai passé à l'action. J'ai enfilé mon jean, des ballerines noires et une veste à capuchon grise, puis j'ai rempli mon sac marin. Ensuite, j'ai frappé à la porte du bureau de papa pour lui demander la permission de dormir chez Gaby. Heureusement, il était si occupé qu'il n'a pas posé de question. Il m'a seulement dit de téléphoner plus tard quand maman serait rentrée.

— Emma, es-tu malade? demande Gaby en me dévisageant avec la même expression inquiète que mes parents ce matin. Tu nous as manqué, à l'école. As-tu la grippe?

Elle me prend par le bras et me fait entrer dans la maison.

Je secoue la tête et retire mes lunettes d'une main tremblante.

— Je *suis* malade, dis-je en chuchotant, mais pas comme tu le penses.

Elle lève les sourcils.

— Emma, tu me fais peur.

Et tu ne sais pas tout.

Un cri nous parvient du salon. Je porte une main à ma poitrine.

— Qui est là? dis-je en regardant par-dessus l'épaule de Gaby.

Je suis si paniquée que je m'attends à voir une nuée de chauves-souris.

— Carlos, évidemment, répond-elle en levant les yeux au ciel, comme toujours lorsqu'elle parle de son petit frère. Il est chirurgicalement attaché à son Wii. Surtout quand mes parents sont au travail. Il ne veut même pas me laisser jouer une...

— Je dois te parler, dis-je en l'interrompant. En privé.

— D'ac-cord, dit-elle en me regardant comme si j'avais soudain deux têtes.

Nous traversons le salon, devant son frère qui nous ignore totalement, et entrons dans sa petite chambre vert pomme. Elle ferme la porte, puis enlève l'assiette de tranches de banane qui est sur son lit — une autre de ses agaçantes collations santé. Je pousse un gros soupir et laisse tomber mon sac sur le plancher avec un bruit sourd.

— Qu'est-ce que tu as donc là-dedans? Un cadavre?

demande Gaby.

C'était la pire chose à me dire.

Je fonds en larmes.

— Oh non! Emma! s'écrie-t-elle en me serrant dans ses bras. Qu'est-ce qui se passe? Raconte-moi. Tu me fais peur!

— Si... si ça... te fait peur, tu n'as pas envie... d'en savoir plus, dis-je en hoquetant, le visage sur son épaule.

— Chut, dit-elle d'un ton apaisant en me conduisant vers le lit. Calme-toi. Peu importe ce que c'est, ça ne doit pas être si grave.

— Vraiment? dis-je en m'assoyant. C'est pire que grave. Tu dois me promettre de ne pas en parler à Padma ou Cathy, ni à personne de l'école.

Padma et Cathy sont gentilles, mais si elles connaissaient mon terrible secret, elles le raconteraient sûrement à leurs amies de l'équipe de soccer. Et ensuite, cela se répandrait aux autres sports d'équipe, puis aux clubs scolaires. Avant longtemps, toute l'école serait au courant de la nouvelle :

EMMA-ROSE BLANCHARD : ATTENTION À SES CROCS!

Et si Hugo Gilbert l'apprenait? Mon cœur se serre à cette pensée.

Mais je me fiche de son opinion.

Complètement.

— Je te le promets, dit Gaby en s'emparant de la boîte de mouchoirs sur sa table de chevet.

J'essuie mes joues du revers de la main.

— Bon. Tu te souviens de ce que je t'ai dit en arrivant?

Gaby me tend un mouchoir.

— Que tu *veux* être une vampire pour l'Halloween?

Je secoue la tête et la regarde sérieusement.

— Je ne veux pas être une vampire, Gaby, dis-je en me mouchant. Je *suis* une vampire. Une suceuse de sang. Tu sais bien, comme Dracula. Et les chauves-souris. Mais en vrai.

Voilà. Je l'ai dit.

Gaby se mord la lèvre inférieure, puis replace une mèche de cheveux derrière son oreille.

— Emma, as-tu encore fait un cauchemar? demande-t-elle d'une voix douce.

Je secoue la tête avec véhémence, en tortillant le mouchoir entre mes doigts.

— Je le voudrais bien! Je sais que ça paraît cinglé, Gaby, mais...

Je pousse un soupir et essaie de rester calme.

— Bon, dis-je à nouveau, je vais commencer par le début.

C'est ce que je fais. Je lui raconte tout. Quand

j'arrive au moment où la chauve-souris se métamorphose en grand-tante Margot, Gaby a l'air sceptique. Mais elle ne m'interrompt pas et ne pose pas de question. Elle continue de m'écouter pendant que je décris le journal télévisé et mes recherches sur Internet.

— Tu vois? dis-je quand j'ai terminé, épuisée. *Tout concorde.* Absolument tout.

Gaby garde le silence un moment. Elle m'observe d'un air sage, ses bras bronzés autour de ses genoux.

— Bon, dit-elle enfin d'une voix sérieuse et déterminée. Reprenons tout ça point par point.

Je hoche la tête avec empressement. Voilà pourquoi je peux compter sur Gaby. Elle aborde tout avec une méthode scientifique et rationnelle, alors que j'ai tendance à m'agiter et à m'énerver.

Quand elle se lève pour prendre un carnet et un stylo sur son bureau, je suis soulagée.

— Gaby? Est-ce que ça veut dire que... tu me crois?

— Je sais que tu ne mens pas, Emma, réplique-t-elle en mettant ses jolies lunettes de lecture à monture rouge. Tu as peut-être trop d'imagination, mais je ne pense pas que tu en aies autant que ça!

Je lui jette les bras autour du cou en m'écriant :

— Oh, merci!

Mais je me recule aussitôt.

— Attends! Préfères-tu que je ne te touche pas? Je veux dire, tu n'as pas peur que je... *t'attaque*?

Cette pensée me fait frémir.

— Hum, fait Gaby en ouvrant son carnet à une page blanche. Qu'en penses-tu? As-tu l'intention d'aspirer mon sang?

J'essaie d'imaginer la scène : mes crocs qui s'allongent et sortent de ma bouche, avant de s'enfoncer dans la peau de...

Non. Non. Non.

Cette idée me retourne l'estomac.

— Absolument pas, dis-je d'un ton déterminé. Je ne veux aspirer le sang de personne. Surtout pas le tien.

— Intéressant, commente Gaby en prenant des notes. Prochain point : as-tu déjà, à ta connaissance, pris la forme d'une chauve-souris?

— Pas que je sache, dis-je en tapotant mes bras pour m'assurer que ce sont bien des bras et non des ailes noires luisantes. À moins que cela ne se produise la nuit quand je dors...

— Ça m'étonnerait, dit Gaby en écrivant dans son carnet. Nous avons dormi souvent l'une chez l'autre. Je suis certaine que j'aurais remarqué la présence d'une chauve-souris au cours des années.

— Tu as raison.

Je suis peut-être une vampire qui ne suce pas le

sang et ne se transforme pas en chauve-souris. Si ça existe.

— Et regarde ça! dit Gaby en désignant les photos affichées au mur.

Gaby et moi durant un pique-nique dans Central Park. Moi, souriante, brandissant mon trophée d'arts plastiques remporté l'an dernier. Moi avec Gaby, Padma, Cathy et mes parents lors de mon dernier anniversaire.

— Tu peux être photographiée, poursuit-elle. Tu n'es pas assoiffée de sang. Tu n'es pas à moitié chauve-souris. Je ne veux pas le vérifier, mais je suis *plutôt* certaine que tu n'es pas immortelle.

Elle consulte ses notes avant de relever les yeux.

— Emma, les faits parlent d'eux-mêmes. Tu n'es pas une vampire.

Je pense à ce qu'elle vient de dire. Aurait-elle raison? J'étais si convaincue d'être une vampire. Mais Gaby semble encore plus convaincue. Aurais-je sauté trop vite aux conclusions? Ce ne serait pas la première fois!

— Et mon chien Bram? dis-je soudain en écartant les mains. Pourquoi me déteste-t-il? Et pourquoi est-ce que j'aime tellement la viande? Et n'oublie pas le fait que j'ai un lien de parenté avec une vampire!

Pendant que je parle, Gaby continue d'écrire dans

son précieux carnet. Ça commence à me tomber sur les nerfs. J'entends la porte de la maison s'ouvrir. M. et Mme Marquez entrent et saluent Carlos. J'espère que Gaby ne montrera pas ses notes à ses parents psychologues. Ils recommanderaient probablement que je sois enfermée dans un établissement spécialisé. Pas un endroit pour les vampires. Un asile d'aliénés.

Gaby glisse son stylo derrière son oreille.

— Te souviens-tu quand tu as eu ton chien? demande-t-elle. Nous avions sept ans et il n'était qu'un chiot. Tu te rappelles comme tu étais horrible avec lui? Tu lui donnais des ordres, tu criais chaque fois qu'il avait un accident sur le plancher. C'est probablement pour *ça* qu'il ne t'aime pas.

— Oh. Tu as raison.

Je chiffonne le mouchoir dans mon poing, surprise par le souvenir qu'évoque Gaby. J'avais oublié à quel point il avait été difficile de m'habituer à la présence d'un petit chien.

— Pour ce qui est de la viande, tu as peut-être une carence en fer, poursuit mon amie. Alors, tu as besoin de manger plus de viande que la plupart des gens. Mais tu pourrais prendre des compléments alimentaires et devenir végétarienne, comme moi.

Elle sourit et je pousse un grognement.

— Enfin, nous n'avons aucune preuve que ta grand-tante Margot est une vampire, dit Gaby. Les attaques de Central Park ont pu être faites par un faucon ou un autre animal. Il y a sûrement une explication rationnelle à ce que tu as cru voir dans sa chambre. Il y a des chauves-souris dans Manhattan, tu sais. L'une d'elles a pu entrer par la fenêtre, et le reste n'était peut-être qu'une illusion provoquée par la noirceur. Pourquoi n'en parles-tu pas à Margot?

Je tire nerveusement sur la fermeture éclair de ma veste. *Lui en parler?* Cette possibilité ne m'a pas traversé l'esprit, même durant ma nuit blanche ou ma journée de recherches frénétiques.

Je me vois mal en train de frapper à sa porte pour l'interroger. Qu'est-ce que je lui dirais?

Bonjour, tante Margot. Désolée de te déranger, mais pourrais-tu m'expliquer pourquoi je t'ai vue sous la forme d'une chauve-souris? Et aussi pourquoi tes chauves-souris empaillées sont toujours vivantes... ou ressuscitées?

Et si elle se fâchait? Si elle me... mordait?

Je porte instinctivement la main à mon cou.

— Je ne peux pas, dis-je à Gaby. Je ne peux pas lui en parler. Je ne veux même pas la voir! Voilà pourquoi j'ai apporté ce sac. Est-ce que je peux dormir ici?

— Bien sûr, dit Gaby, qui enlève ses lunettes et me serre dans ses bras. Du moment que tu me promets de

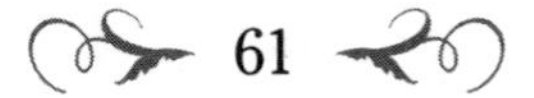

ne pas... m'attaquer!

Devant son sourire espiègle, je ne peux m'empêcher d'éclater de rire. Gaby rit, elle aussi. Tout à coup, je me rends compte à quel point toute cette histoire semble ridicule. Je ne suis pas entièrement persuadée que Margot n'est pas une vampire, et je ne suis pas tout à fait rassurée à mon sujet. Mais je me sens mille fois mieux qu'à mon arrivée. Voilà pourquoi Gaby est la meilleure des meilleures amies.

Il commence à faire noir et une brise fraîche balaie la chambre. Gaby part avertir ses parents que je passe la nuit chez eux. Je me souviens que je dois aussi appeler mes parents.

Gaby sort de la pièce et je me dirige vers mon sac pour prendre mon téléphone cellulaire. Mon regard tombe sur une des photographies sur le mur. Celle de mon anniversaire, avec mes amies et mes parents. Tout le monde sourit et je suis penchée sur mon gâteau rouge, sur le point de souffler la grosse bougie en forme de 12.

12.

Mon douzième anniversaire. En août.

Soudain, j'ai des picotements sur la nuque. Il y avait autre chose sur le site Web, en plus de la liste et de l'information sur la filiation maternelle. Je ferme les yeux pour me remémorer les mots exacts.

...les jeunes garçons et filles de ces anciennes familles commencent à présenter les traits mentionnés plus haut autour de l'âge de douze ans. Leur transformation complète en vampire s'opère peu de temps après.

J'ai les mains moites. Bien sûr que j'apparais toujours sur les photographies et dans les miroirs. Bien sûr que je ne suis pas assoiffée de sang. Bien sûr que je ne me transforme pas en chauve-souris. C'est parce que ma transformation en vampire n'est pas terminée.

Pas encore.

Qu'est-ce que ça veut dire, peu de temps après? Quelques mois? Un an? Je n'en ai aucune idée, mais une chose est certaine : à tout moment, je peux me transformer en vampire.

Et je n'y peux rien, absolument rien.

Chapitre six

Je pensais que ce serait difficile d'aller à l'école en sachant que ma grand-tante est une vampire.

Mais c'est encore pire d'y aller en sachant que je suis peut-être une vampire.

Dans l'air vivifiant du matin, sur le chemin de l'école, je marche avec Gaby et je me contente de l'écouter. Elle parle de ses broches, de Milo et du cours de ballet. Elle hésite pour son déguisement d'Halloween. Elle avait d'abord voulu être une fée, mais elle pense maintenant à un costume de loup-garou, puisque ce sera la pleine lune le soir de l'Halloween.

Je sais qu'elle essaie de me changer les idées, mais je n'arrive pas à penser à autre chose qu'à des écureuils morts et des dynasties de vampires.

Hier soir, je ne lui ai pas parlé de mes conclusions

concernant mon douzième anniversaire. Elle aurait trouvé un autre point faible à mon argumentation, et je n'avais pas l'énergie pour une autre séance de psychothérapie. Je me sens bizarre de cacher quelque chose d'important à ma meilleure amie. Mais je pourrai tout lui dire plus tard, une fois que je me serai habituée à l'étrangeté de la situation.

En arrivant à l'école, nous voyons Cathy et Padma près des casiers. Mon cœur se serre. J'aime bien mes copines, mais je ne suis pas d'humeur à bavarder.

— Salut, les filles! s'écrie Padma.

Elle referme la porte de son casier en rejetant sa tresse rousse par-dessus son épaule.

— Tu vas mieux, Emma-Rose? me demande Cathy.

— Oui, dis-je. Je suis prête à mordre dans la vie, bon sang!

— Quoi? dit Cathy en fronçant ses fins sourcils blonds.

— Oublie ça, tu sais bien qu'Emma a un drôle de sens de l'humour, glousse Gaby en me donnant un coup de coude dans les côtes.

— Aïe! dis-je en me frottant les côtes.

— Il reste du temps avant la cloche, dit Padma. Venez-vous boire un chocolat chaud à la cafétéria?

Padma, Gaby et Cathy adorent prendre un chocolat

chaud le matin. Je préfère un grand verre de jus de canneberges.

Du jus rouge, maintenant que j'y pense.

Rouge sang.

— Je ne peux pas, dis-je en ouvrant mon casier pour y mettre mon sac marin. Je... heu... je dois me préparer pour mon cours de dessin après l'école.

C'est un mensonge. D'après le regard que me lance Gaby, elle sait que je mens, mais je m'en fiche. J'ai besoin d'être seule. Je me dirige vers la classe. Mon enseignante est surprise de me voir arriver non seulement à l'heure, mais avant tout le monde.

À la première période, j'ai un cours d'études sociales, l'un de mes préférés. Mais aujourd'hui, je porte à peine attention à Mme Grimm, qui nous parle d'Internet.

— C'est un excellent outil, dit-elle en gesticulant avec son bout de craie. Mais les sites Web ne donnent pas toujours les faits les plus exacts. D'ici lundi prochain, je veux que vous alliez à la bibliothèque de votre quartier. Vous utiliserez la bonne vieille méthode de recherche dans les livres pour vous renseigner sur le pays d'origine de votre famille.

En pensant aux origines de ma famille, j'émets un son à mi-chemin entre le rire et le grognement. Mme

Grimm et Padma me dévisagent d'un air interrogateur. Je fais semblant de tousser.

Le cours de gym est toujours un supplice, mais aujourd'hui, je suis encore plus maladroite que d'habitude. Chaque fois que le ballon de volley-ball arrive dans ma direction, je l'esquive ou je le rate. Et quand c'est à moi de faire le service, je n'arrive même pas à projeter le ballon près du filet.

En me voyant rater mon coup pour la millième fois, Ève Epstein trépigne dans ses espadrilles rose métallique, comme un bambin qui fait une crise de colère.

— Peuh! s'exclame-t-elle. Quel est ton problème, Emma-Rose? Tu ne réussis jamais rien!

— Peuh! répète Marina Dangelo, une autre détestable copine d'Alexandra et Ève.

Marina n'est pas assez originale pour inventer ses propres insultes.

Je jette un coup d'œil à Cathy, qui est aussi dans mon équipe. Mais elle me regarde d'un air déçu. À l'extérieur du gymnase, Cathy est l'une des filles les plus gentilles que je connaisse. Toutefois, lorsqu'elle porte un short et des espadrilles, elle devient une athlète ultra compétitive. Et je deviens une amie ultra gênante.

J'encaisse le coup, la gorge serrée. *Surtout, ne pleure pas,* me dis-je sévèrement.

— Ça va! lance la prof de gym en venant à ma rescousse. Tu feras mieux la prochaine fois, Emma-Rose!

À midi, je vois bien que Cathy se sent coupable, car elle m'offre un carré au chocolat après mon sandwich au rôti de bœuf. Je chipote ma nourriture d'un air absent, pendant qu'elle discute de la soirée d'Halloween avec Padma et Gaby. En mâchant, je tâte une de mes canines du bout de la langue. Elle me semble très pointue. Plus pointue qu'avant.

Oh non. Ça commence!

Bientôt, me dis-je avec effroi, *mes oreilles vont pousser et ressembler à des oreilles de chauve-souris. Mon corps va rapetisser et des ailes noires crochues vont surgir de mon dos. Je me jetterai sur mes amis, déterminée à percer leur cou et boire leur...*

— Je... à plus tard, les filles! dis-je en balbutiant.

Je me lève et me précipite hors de la cafétéria.

Gaby m'appelle, mais je ne tourne pas la tête. Je sais que je suis distante envers mes amies, et cela accentue mon malaise. Mais je ne peux faire autrement. Un jour, elles comprendront que c'était pour leur propre sécurité.

J'entre dans les toilettes des filles et cours vers le

miroir. J'ouvre la bouche pour observer mes canines. À mon grand soulagement, elles ne semblent pas plus longues ni plus pointues que d'habitude. Je suis également soulagée de voir que j'apparais toujours dans le miroir. Mes oreilles semblent normales, et rien ne me pousse dans le dos. Les doigts tremblants, j'ouvre le robinet et asperge ma figure blême d'eau froide.

La porte s'ouvre et Alexandra Lambert entre en secouant sa chevelure blonde. Elle s'arrête net en me voyant et dit d'un air hautain, une main sur la hanche :

— As-tu fini?

Bien entendu, la princesse Alexandra exige que tous ses subalternes sortent des toilettes avant d'y entrer.

— Oui, dis-je d'un ton aussi glacial que possible avant de sortir.

Pourvu qu'elle ne m'ait pas vue en train de m'examiner les dents! Je suis certain qu'elle en glisserait un mot lors du prochain conseil étudiant.

Justement, Hugo Gilbert passe dans le couloir au moment où je referme la porte. Il marche lentement, ses livres sous le bras. Quand il me voit, il me lance en souriant :

— Hé! Blanche Blanchard!

Je tourne aussitôt les talons et pars dans la

direction opposée. J'espère qu'il ne peut pas entendre les battements de mon cœur. Le nom *Blanche Blanchard* prend une tout autre signification maintenant que je connais la raison de la blancheur de ma peau.

— Hé! crie Hugo pendant que j'accélère le pas.

J'ai l'impression que son ton est désolé, mais je l'imagine peut-être.

Les choses ne s'améliorent pas durant l'après-midi. En sciences, nous étudions les insectes. Quand le prof parle des moustiques comme de « vilains insectes suceurs de sang », je voudrais ramper sous mon pupitre. En anglais, la discussion porte sur Edgar Allen Poe. Mon enseignante, Mme Roger, arpente la classe en parlant de la peur.

— Ce qu'un auteur peut créer de plus effrayant est un sentiment d'appréhension, *d'attente,* explique-t-elle. On sait que quelque chose de terrible va arriver, mais on ne sait pas *quoi* ni *quand.*

Je hoche la tête avec tant d'enthousiasme que j'ai l'impression d'être une de ces figurines qui dodelinent de la tête dans les voitures. Mme Roger me jette un regard étonné et j'arrête de bouger. *Un jour,* me dis-je, *il y aura une histoire d'horreur à mon sujet.*

La pensée de rentrer chez moi après l'école m'effraie toujours. Je suis donc heureuse d'aller à mon cours de dessin, au centre communautaire de la 92^e^

rue.

Ma crainte des vampires ne me quitte pas pendant le cours. Nous devons faire notre autoportrait. Sans vraiment m'en rendre compte, je me dessine avec des ailes et des oreilles de chauve-souris. Mon professeur, M. Scully, aime bien mon dessin. Selon lui, il s'agit d'une « interprétation fascinante du passage de l'enfance à l'âge adulte ». Si seulement il connaissait la sinistre vérité...

J'aurais voulu rester éternellement dans ce cours, mais je dois bien finir par rentrer. Mon cœur bat plus vite dans l'autobus qui me ramène chez moi. Quand nous traversons Central Park dans la lueur rosée du crépuscule, j'examine le ciel à la recherche de chauves-souris. Mais je ne vois que des volées d'oiseaux qui se dirigent vers le sud. Cela me donne le courage nécessaire pour prendre l'ascenseur et entrer dans la maison. Que je le veuille ou non, il faut bien que j'affronte ma grand-tante.

Mais elle n'est pas là.

En me voyant, Bram s'éloigne en gémissant.

— Comment te sens-tu, ma chérie? demande maman en sortant de la cuisine avec papa. Tu es encore pâlotte. Je parie que Gaby et toi vous êtes couchées trop tard hier. Est-ce que je devrais prendre un rendez-vous chez le médecin?

Je secoue la tête et dépose mon sac. J'imagine mon gentil pédiatre grassouillet en train de me faire une prise de sang, puis reculer avec horreur en s'apercevant que je ne suis pas tout à fait... humaine.

Je décide donc de mentir :

— Je me sens bien.

— As-tu eu une bonne journée? demande papa.

— Oui, dis-je en mentant de nouveau. Où est Margot?

— Elle dort, dit maman en s'approchant pour m'embrasser. Elle est allée se coucher en rentrant du musée. Elle avait l'air très fatigué. Probablement à cause du décalage horaire.

Ou parce que c'est une créature nocturne, me dis-je.

— J'espère qu'elle n'a pas attrapé le microbe que tu avais hier, ajoute papa.

— C'est plutôt *moi* qui ai attrapé son microbe, dis-je en marmonnant.

— Que dis-tu? demande maman en replaçant ma frange.

— Rien, dis-je d'un air distrait.

Je me demande si ma grand-tante dort vraiment ou si elle fabrique autre chose dans sa chambre — un quelconque rituel de vampire?

— Je reviens tout de suite, dis-je à mes parents.

Je me dirige vers ma chambre. La porte de la

chambre d'amis est entrouverte. Je jette un coup d'œil à l'intérieur. Margot semble dormir. Elle est étendue sur le dos, ses cheveux noirs répandus sur l'oreiller et son visage pâle détendu. Il n'y a pas de chauves-souris dans la chambre. Elles doivent être restées au musée. Je les imagine, quelque part dans l'édifice, attendant le bon moment dans leurs cages. Que se passera-t-il à la tombée de la nuit? Je tremble d'effroi en pensant aux gardiens de sécurité du musée, que je connais depuis toujours. Les chauves-souris passeront-elles en criant devant eux pour envahir Central Park, ou les attaqueront-elles pour se nourrir?

Brrr.

Je ne mange pas ce soir-là.

Je ne téléphone pas non plus à Gaby. Je ne me sens pas prête à tout lui expliquer. Je me contente de lui envoyer un message texte disant que j'ai beaucoup de devoirs. Elle me répond : D'accord. As-tu parlé à Margot? Je soupire et réplique : pas encore.

Mon plan est de rester debout jusqu'à ce qu'elle se réveille. Alors, j'irai l'espionner, ou lui parler si j'en ai le courage. Je veux aussi me faufiler dans la cuisine pour aller voir s'il y a des nouvelles des attaques à la télé. Je dois également poursuivre mes recherches sur Internet. Ce sera une soirée occupée.

Mais je suis épuisée par cette journée remplie de

péripéties, et je n'ai pratiquement pas dormi sur le matelas gonflable de Gaby la nuit dernière. J'essaie de demeurer réveillée pour faire mon devoir, mais mon crayon me glisse constamment des mains et je n'arrête pas de cogner des clous.

Je vais juste me reposer un moment, me dis-je en m'étendant sur mon lit. Pour la première fois depuis longtemps, je tombe endormie en quelques minutes.

Être une vampire, c'est plus épuisant que je ne l'aurais cru.

Chapitre sept

J'avance sur la pointe des pieds dans la pièce sombre et glaciale. J'espère que personne ne m'a suivie. Le cœur battant, j'essuie mes mains moites sur ma jupe. J'ai peur, mais je sais que je dois aller de l'avant. Je ne peux plus reculer.

Tout à coup, je les aperçois. Ils me fixent dans l'obscurité.

Les yeux rouges luisants. Les yeux *avides.* Je m'oblige à marcher vers eux. Il faut que...

Bip! Bip! Bip!

Je tends le bras et donne un coup sur mon réveil pour l'arrêter, puis j'enfonce mon visage dans l'oreiller.

Hein? me dis-je, à moitié réveillée. *Mon réveil? C'est déjà le matin?*

Je me redresse en sursaut. Eh oui, il fait jour. Je ne

pense même pas au cauchemar qui est revenu me hanter. Je dois absolument voir Margot avant qu'elle parte. Est-il trop tard?

Je me lève et me précipite dans la chambre d'amis. Le lit de ma grand-tante est déjà fait et la pièce est déserte.

— Elle m'a laissé un mot, dit ma mère quand je la questionne dans la cuisine. Elle est partie travailler avant l'aube. Margot est tellement dévouée!

Avant l'aube, me dis-je en frissonnant.

Je tire sur mes manches de pyjama et jette un regard perplexe à ma mère.

— Mais le musée n'ouvre pas avant 7 h pour les employés, dis-je. Qu'est-ce qu'elle peut bien faire en attendant?

Maman hausse les épaules et se verse du café.

— Eh bien, j'imagine qu'elle commence par déjeuner, puis qu'elle fait une balade. Elle n'est pas venue à New York depuis treize ans, après tout. Elle veut probablement s'imprégner de l'atmosphère de la ville.

— Quoi? Ta tante Margot est déjà venue ici?

Je fais un calcul rapide dans ma tête, puis ajoute :

— Avant ma naissance?

— Ouais, dit papa en levant les yeux de son bol de céréales. Ta mère était enceinte de toi. Margot était venue à New York pour mener des recherches sur les chauves-souris. Elle n'a pas habité chez nous, car notre appartement était trop petit.

C'est curieux. La dernière visite de Margot a-t-elle quelque chose à voir avec ma nature de vampire? Aurait-elle jeté un sort à maman pendant sa grossesse?

Une idée me traverse l'esprit.

— Avez-vous des photos de Margot à cette époque? Ou d'autres photos d'elle? Quand elle avait mon âge?

— Hum, fait maman en inclinant la tête. Je n'ai pas beaucoup de photos de Margot. Quelques-unes lorsqu'elle était petite, mais c'est tout.

Évidemment, me dis-je en me frottant les bras. *Impossible qu'il y ait des photos de Margot après l'âge de douze ans.*

Mes soupçons sont confirmés.

— Je parie que Margot ressemblait beaucoup à Emma-Rose quand elle était petite, dit papa en déposant sa cuillère. As-tu remarqué, Lili? La ressemblance est... troublante.

Tu ne sais pas à quel point, papa.

— J'ai remarqué, dit maman en souriant. Ma mère disait que Margot était la plus belle fille du village. Tu entends ça, Emma-Rose?

Moi? Belle? Avec un petit grognement incrédule, je

baisse les yeux sur mes cheveux ébouriffés et mon vieux pyjama.

— C'est vrai, dit maman. D'après ma mère, beaucoup de jeunes prétendants lui faisaient la cour. Mais elle a décidé de ne pas se marier.

Peut-être parce qu'elle ne pouvait pas révéler sa véritable nature à ses prétendants, me dis-je. Sans savoir pourquoi, je pense à Hugo Gilbert, puis je chasse cette image de mon esprit.

— Pourquoi poses-tu tant de questions au sujet de Margot? me demande papa. C'est gentil de t'intéresser à ta grand-tante, mais ça ne te ressemble pas.

— Heu, dis-je, hésitante.

Pendant une seconde, j'ai envie de leur raconter toute l'horrible vérité. Puis je me souviens que maman ne m'a pas écoutée mardi matin. Si nous commençons à en discuter maintenant, je serai sûrement en retard à l'école.

L'école! me dis-je, soudainement inspirée.

Je m'écrie :

— Le projet de généalogie! Je veux dire... c'est pour un devoir, dis-je d'une voix plus calme, car mes parents me regardent avec inquiétude. Pour mon cours d'études sociales. J'ai oublié de vous en parler. On doit faire des recherches sur les origines de notre famille. Alors, j'ai pensé que j'interrogerais tante Margot.

— C'est une excellente idée, dit maman en sirotant son café. Seulement, tu devrais attendre après la soirée d'inauguration. Margot et moi allons être débordées d'ici vendredi prochain.

— Ça me fait penser que je dois faire nettoyer mon smoking aujourd'hui, dit papa en se levant. Avez-vous besoin d'aller porter des vêtements chez le nettoyeur avant le gala?

Je me mords les lèvres. Avec tous les événements de la semaine, le gala m'est complètement sorti de la tête. Je n'ai toujours pas décidé si je vais y assister ou aller à la fête.

La fête. Mon cœur se serre. Oh! non, il y a une réunion du conseil cet après-midi. Super. C'est bien la *dernière chose* dont j'avais besoin aujourd'hui!

Comme si j'avais parfois besoin de ce fichu conseil!

Gaby a peut-être raison. Mon cauchemar avec les petits yeux rouges a peut-être un rapport avec Alexandra et son maillet rose.

C'est ce que je chuchote à Gaby au fond de la classe 101, après l'école. Alexandra est debout à l'avant. Elle frappe son maillet sur le bureau pour obtenir le silence.

— Bien sûr que j'ai raison! dit Gaby d'un air détaché tout en envoyant un texto à Cathy sur son téléphone cellulaire.

Elle me sourit en refermant son téléphone.

Je soupire. Gaby a beaucoup bavardé avec Cathy ce midi. Elle l'a même invitée chez elle pour jouer au Wii quand Carlos sera à son cours de karaté, cette fin de semaine. J'ai un pincement au cœur. Elle avait juré qu'elle et moi jouerions au Wii dès que Carlos s'en éloignerait. De plus, même si nous sommes copines toutes les quatre, nous formons en fait deux couples de meilleures amies : Cathy et Padma, Gaby et Emma-Rose. Un point c'est tout. C'est comme ça. Padma avait l'air froissée, elle aussi, mais elle n'a rien dit. Quant à moi, j'étais trop abasourdie pour réagir.

J'ai passé toute la journée dans une espèce de brouillard. Hier, les gens ont dû croire que je me remettais toujours de ma maladie. Aujourd'hui, mes profs semblaient agacés tellement j'étais dans la lune. Vampire ou pas, je commence à me demander si je risque de couler mon secondaire I.

Hugo se lève pour prendre les présences. Je me sens rougir. Gaby se penche pour écrire dans mon cahier. Je m'attends à ce que ce soit à propos d'Hugo, mais je me trompe :

Du nouveau au sujet de Margot?

Je réponds aussitôt :

Non. Elle dort toute la journée et part AVANT LE

LEVER DU SOLEIL!

Je suis si concentrée que lorsque Hugo appelle « Blanche Blanchard », je lève la main sans le regarder.

Ça ne veut rien d... écrit Gaby avant de laisser tomber son crayon en entendant une voix sévère :

— Emma-Rose! Gabrielle!

C'est Mme Grimm. Elle est debout devant nos pupitres, l'air fâché.

— Mesdemoiselles, je sais que ce n'est pas un véritable cours, mais je vous prie de vous abstenir de vous écrire des notes pendant la réunion.

Hugo lève les sourcils. Alexandra et Ève échangent des sourires triomphants. Je sens la colère monter en moi. C'est complètement injuste. Mme Grimm laisse Alexandra faire toutes ses simagrées, mais elle nous réprimande, Gaby et moi.

— Désolée, madame Grimm, dit Gaby en joignant les mains sur son pupitre.

— Désolée, dis-je à mon tour, les dents serrées.

Quand je lève les yeux vers Mme Grimm, j'aperçois le journal sous son bras. Dans le coin inférieur droit, je peux lire : D'AUTRES ATTAQUES DANS CENTRAL PARK ÉVEILLENT LES SOUPÇONS.

Mon sang se fige et ma bouche s'assèche. Il y a eu d'autres attaques depuis mardi? Je meurs d'envie de savoir de quels soupçons il s'agit. Est-ce que quelqu'un a pensé aux vampires en voyant les morsures?

Je voudrais emprunter ce journal ou donner un coup de coude à Gaby pour qu'elle voie le gros titre, mais vaut mieux me tenir tranquille

Mme Grimm retourne s'asseoir près de la fenêtre. Alexandra inscrit « Soirée d'Halloween » au tableau en faisant cliqueter son bracelet, comme toujours. Mais aujourd'hui, ce cliquetis semble plus fort que d'habitude. Il me donne mal à la tête.

— Bon, s'exclame Alexandra de sa voix haut perchée. Nous allons parler d'un sujet passionnant : la décoration du gymnase pour la danse.

— Ooooh! s'écrie Ève en tapant des mains, ce qui fait cliqueter son bracelet à breloques.

Je me masse le front.

— Voici mon plan, dit Alexandra en écartant les mains d'un geste théâtral. On pourrait intituler la fête « Bonbons d'Halloween ». Il y aurait des ballons rose bonbon et des serpentins argentés. On servirait de la barbe à papa rose bonbon. Il y aurait des poufs en forme de guimauve. Et on pourrait mettre un tapis rouge au milieu du gym, comme dans les galas de célébrités, sauf que le tapis serait rose, comme les ballons. C'est une bonne idée, hein?

— Tu n'es pas sérieuse?

Les mots jaillissent de ma bouche avant que je

puisse les arrêter.

Avant même que je le réalise, j'ai parlé.

J'ai dit « Tu n'es pas sérieuse? » à la princesse Alexandra Lambert.

Tout le monde se tourne pour me regarder. Moi, la douce et tranquille Blanche Blanchard qui n'avait, jusqu'à maintenant, pas prononcé plus de trois mots pendant une réunion du conseil. Je sens le regard de Gaby me transpercer. Hugo, Ève, Robert, Mme Grimm et tous les autres me dévisagent, stupéfaits.

Alexandra se croise les bras sur la poitrine. Elle lève le menton et demande, de la voix la plus glaciale que j'aie jamais entendue :

— Qu'est-ce que tu as dit, Emma-Rose?

Je ne sais pas ce qui m'arrive. Tout à coup, je me sens envahie par une fougue et un courage que je n'ai jamais ressentis auparavant. Je suis certaine que cela a un rapport avec les événements des derniers jours. Après ce que j'ai vu dans la chambre de ma grand-tante lundi soir, impossible d'être effrayée par quelqu'un comme Alexandra. Après tout, elle n'est pas une véritable princesse. Elle est juste une élève ordinaire. Quant à moi, je suis la descendante d'une très ancienne lignée, noble et puissante.

Ce doit être un pouvoir de fille-vampire!

Je lève le menton à mon tour et rejette mes cheveux

noirs en arrière. Je riposte d'un ton clair et calme :

— J'ai dit : tu n'es pas sérieuse? Vraiment, Alexandra! Rose bonbon et argent pour une fête d'Halloween? C'est ridicule!

On entend des chuchotements et des exclamations étouffées dans la classe. Hugo est appuyé contre le tableau, les yeux pétillants et la mine espiègle, comme s'il assistait à un bon spectacle. Ève est bouche bée. Elle n'arrive pas à croire que j'ai eu le courage d'affronter son idole. Alexandra me contemple, la bouche entrouverte. Mais elle se ressaisit aussitôt et riposte d'un ton sarcastique, en plissant ses yeux bleus :

— Merci beaucoup de nous faire part de ton opinion, Emma-Rose. Aurais-tu une idée géniale pour le choix de la couleur thématique de la soirée d'Halloween, par hasard?

Elle retrousse sa lèvre supérieure et attend, les mains sur les hanches.

Je sens mon cœur qui bat, d'un rythme fort et régulier. J'ai plein d'idées qui me viennent en tête. J'en ai toujours eu, mais je n'ai jamais tenté de les faire valoir.

— Oui, en fait, lui dis-je. Le noir et l'orange sont des choix évidents, mais on pourrait aussi mettre du rouge foncé.

Je poursuis, avec une assurance croissante :

— On pourrait demander la permission d'ajouter des décalques sur le mur, comme des crânes, des toiles d'araignée ou des fantômes. Pourquoi ne pas se procurer une machine à brouillard et remplir un chaudron de sorcière de bonbons? Ou encore installer un jeu de pommes dans l'eau? Ton idée de tapis rouge n'est pas mal, mais on peut faire encore mieux. Certains élèves pourraient être des paparazzis qui photographieraient tous les costumes. Ce serait l'Halloween à Hollywood!

Je reprends mon souffle. Je n'ai jamais autant parlé de toute ma vie. Mais je ne me sens pas intimidée ni embarrassée. C'est excitant d'exprimer librement mes idées. Et c'est agréable de ne pas penser à des crocs ou à des animaux morts dans le parc.

Je ne me suis pas sentie aussi bien depuis des jours.

La classe demeure silencieuse un moment. Puis Gaby se tourne vers moi et dit d'une voix claire et ferme :

— Je trouve ça génial!

— Merci, lui dis-je en remuant silencieusement les lèvres.

Elle lève le pouce en guise de réponse.

Il n'est pas étonnant que Gaby me donne son appui.

Je m'y attendais. Lorsque personne d'autre ne prend la parole, je commence à me trémousser sur ma chaise. Je me demande si les autres vont démolir mes idées, surtout Alexandra, dont le visage est de plus en plus rouge.

Puis Hugo Gilbert, qui était resté appuyé au mur, toussote et s'avance, les mains dans les poches.

— Pas mal, Blanche Blanchard, dit-il avec son beau (et agaçant) demi-sourire. Pas mal du tout. C'est même super!

Je hausse les épaules en rougissant. Alexandra lance un regard furieux à Hugo. Un peu plus et elle lui crierait « traître! ».

— Ouais, renchérit Robert. J'aime beaucoup l'idée du chaudron.

— Et moi, j'adore les décalques! s'exclame Zora Robinson. Je parie qu'on peut en trouver qui ne sont pas permanents!

Un bourdonnement d'excitation s'élève dans la classe. Les élèves se tournent vers moi pour me sourire d'un air approbateur. Mes joues s'empourprent encore plus.

Alexandra tourne le dos à Hugo pour faire face à Ève, qui ronge ses ongles rose vif. Quand Ève ouvre la bouche, tout le monde se penche pour l'écouter.

— Je... hum... j'aime beaucoup l'idée des paparazzis,

dit-elle en ouvrant de grands yeux terrifiés.

Alexandra est bouche bée.

— Super! crie quelqu'un de l'autre côté de la pièce.

Des applaudissements fusent. Un autre élève se met à scander :

— L'Halloween à Hollywood! L'Halloween à Hollywood!

Un autre s'écrie :

— Bravo, Emma-Rose!

Je n'en crois pas mes yeux. Je me tourne vers Gaby, qui semble stupéfaite, mais fière.

— Silence! crie Alexandra en frappant son maillet sur le bureau. Qu'est-ce qui se passe, ici? Je suis la présidente. C'est moi qui décide! Et je n'aime pas cette idée. Qui a besoin de paparazzis à une fête?

— Désolée, Alexandra, dit Mme Grimm en se levant et en lissant sa jupe. Ce n'est pas ainsi que ça fonctionne. Le conseil étudiant a toujours suivi un processus démocratique. Les membres doivent donc voter.

Avant qu'Alexandra puisse protester, Mme Grimm se tourne vers la classe et déclare :

— Tous ceux qui sont en faveur de la suggestion Bonbons d'Halloween, levez la main!

Alexandra lève son bras dans les airs avec tant de vigueur qu'elle frappe sa bague rose en forme de fleur contre le tableau. Personne ne l'imite. Ève lève sa main avec hésitation, puis la replace sur ses genoux en chuchotant « Excuse-moi » à Alexandra, qui est furieuse.

— Bon, dit Mme Grimm. Qui est en faveur de la proposition Halloween à Hollywood?

Toutes les mains se lèvent, sauf celle d'Alexandra. Ève lève son bras bien haut, tout comme Hugo et Robert. Un sentiment de fierté m'envahit. Je remarque que Mme Grimm a un petit sourire. Malgré les remontrances qu'elle nous a faites, je me demande si elle n'est pas contente de voir mon idée battre celle d'Alexandra.

— Voilà qui est décidé, dit-elle en se frottant les mains. On dirait bien que nous aurons un Halloween à Hollywood!

Alexandra serre les dents et de la fumée lui sort pratiquement des oreilles.

— Je propose qu'Emma-Rose soit la décoratrice en chef! lance Gaby en levant ma main dans les airs.

— Non! Attends! Quoi? dis-je en balbutiant. Je ne faisais que suggérer des idées... Je ne peux pas...

— J'appuie sa candidature! dit Zora avec un grand sourire. Tu vas faire un excellent travail, Emma-Rose.

— Très bien, siffle Alexandra en jetant son maillet. Emma-Rose peut s'occuper de la décoration.

Elle se tourne vers moi et dit d'un ton méprisant :

— Mais ça veut dire que c'est toi qui devras acheter tous les accessoires et qui prépareras le gymnase avant la fête. Je serai là, mais seulement pour superviser. Je ne veux pas m'abîmer les ongles, ajoute-t-elle d'un air hautain.

— Je vais t'aider, évidemment, me dit Gaby.

— Je ne pourrai pas t'aider à décorer le gymnase, dit Zora d'un air désolé. Mais j'irai avec toi faire les achats.

— Moi aussi, dit sa meilleure amie, Janie Woo.

Je hoche la tête, bouleversée. Dans quoi me suis-je embarquée, au juste?

Tout à coup, je me rends compte d'une chose : si je suis responsable de la décoration, je devrai aller à la fête. Ce qui veut dire que je ne pourrai pas assister au gala. J'ai un pincement au cœur.

Pendant qu'Alexandra clôt sèchement la séance, Gaby remarque mon air déçu.

— Pas de gala, hein? dit-elle avec compassion. Ni de porte à porte!

Je secoue la tête.

— On dirait bien qu'Alexandra a pris la décision à ma place. Dommage qu'il n'y ait pas un moyen de faire un aller-retour entre la fête et le gala!

— À moins que tu ne portes un déguisement pour

le gala, dit Gaby avec un soupir.

J'observe Alexandra qui sort de la classe d'un air boudeur, en faisant claquer ses talons. Ève s'empresse de la suivre en s'excusant. Hugo et Robert partent à leur tour. Aussitôt que la porte se referme sur eux, les autres élèves se lèvent et s'approchent de mon pupitre.

—Hé, Emma-Rose, c'était super ce que tu as fait! s'exclame Zora avec de grands yeux admiratifs. Tu as tenu tête à Alexandra!

— Oui, son idée rose bonbon était horrible, grogne Janie.

— Je ne pensais pas que quelqu'un oserait le lui dire, ajoute Matt de la Cruz, un gars brillant qui est dans mon cours de sciences.

— On était *tous* avec toi! renchérit une autre fille.

Tout le monde hoche la tête avec enthousiasme. Gaby a l'air aussi surprise que moi.

Mme Grimm est en train d'essuyer le tableau à l'avant de la classe. Elle se tourne vers moi en souriant :

— C'est vrai. J'ai été très impressionnée par ton intervention, Emma-Rose.

— Oh! Heu... merci, dis-je.

Toute cette attention me fait chaud au cœur. *C'est donc ainsi qu'on se sent quand on est populaire?* me dis-je.

Je me sens différente, mais cette fois, c'est une sensation merveilleuse.

Peut-être qu'être une vampire n'a pas que des désavantages.

Peut-être que cela me permettra de devenir une toute nouvelle Emma-Rose!

Chapitre huit

Le vendredi, je mets mon plan à exécution pour me transformer en nouvelle Emma-Rose.

Je me réveille très tôt, mais pas assez pour intercepter ma grand-tante (qui dormait quand je suis rentrée la veille, bien sûr).

Je m'empresse d'enfiler un jean rouge foncé, un t-shirt noir et une camisole ornée de petites cerises rouges. J'ajoute des serre-poignets à rayures mauves et mes bottillons noirs. Puis j'envoie un texto à Gaby pour lui dire que je pars tôt pour me rendre à l'école, donc inutile de passer me chercher.

Je me sens un peu coupable. Nous n'avons pas parlé ni échangé de message hier, car Gaby est allée à la bibliothèque faire des recherches pour le devoir de généalogie. Elle m'a invitée à l'accompagner, mais j'étais trop surexcitée après la réunion du conseil. Je

suis donc allée acheter des décorations pour la fête avec Zora. Dans le coin de ma chambre, il y a un sac rempli de décalques de crânes scintillants et de serpentins en papier crêpé noir et orange.

Je vais dans la cuisine. Ma mère est surprise de me voir debout si tôt. Papa dort toujours. Tout en me versant un verre de jus de canneberges, je lui annonce que je ne pourrai pas aller au gala vendredi prochain. Elle est déçue, mais fière de savoir que je participe à l'organisation de la fête. Puis je prends mon sac et pars pour l'école.

Les premières personnes que je vois en arrivant sont Ève, Marina, Robert et Hugo. Ils sont devant leurs casiers. J'entends Ève dire aux garçons qu'Alexandra est malade. Je me demande si la petite princesse a eu besoin d'une journée de congé pour se remettre du choc reçu hier.

Je me dirige vers mon casier.

— Bonjour, Blanche Blanchard! me dit Hugo.

Je me retourne et lui lance le genre de regard menaçant que jetterait une puissante fille vampire à un écureuil sans défense. Je ne rougis pas. Je ne me tortille pas.

— Tu sais, Hugo, tu pourrais changer de refrain, dis-je d'un ton ferme. Ce n'est plus drôle.

Il cligne des yeux, puis passe une main dans ses

cheveux noirs.

— Hum, fait-il nerveusement.

Ève, Marina et Robert se regardent. Eux non plus ne sont pas habitués de me voir riposter, ni même parler. Je ne les laisserai pas s'en tirer comme ça. Je les dévisage, les mains sur les hanches.

Finalement, Marina me dit avec un sourire prudent :

— J'aime ce que tu portes, Emma-Rose.

— Merci.

En me tournant vers mon casier, je vois Ève donner un coup de coude à Marina.

— Quoi? chuchote Marina. Je trouve ça beau!

Je souris.

Je savais bien que le cours d'éducation physique mettrait fin aux efforts de gentillesse de Marina. Nous sommes encore dans la même équipe, avec Ève et Cathy. La dernière fois, nous avions perdu par ma faute. Aujourd'hui, Ève et Cathy, même si elles sont loin d'être des amies, semblent déterminées à tout faire pour gagner. Lorsque l'autre équipe fait le service, elles s'élancent toutes les deux. Cathy envoie le ballon à Ève, qui le fait passer par-dessus le filet.

— Vas-y, Ève! crie Marina. Toi aussi, Cathy, ajoute-t-elle du bout des lèvres.

La prof donne un coup de sifflet.

— ROTATION!

J'ai un nœud dans l'estomac. C'est mon tour de faire le service.

— Maintenant, souviens-toi de ce que je t'ai dit, Emma-Rose, dit la prof.

Elle s'approche de moi et place le ballon — mon ennemi — dans ma main.

— N'aie pas peur, poursuit-elle. Utilise toute ta force. Et fais passer ce ballon par-dessus le filet.

— Elle ne pourrait pas passer son tour, pour une fois? gémit Ève.

— Chut, ce sera drôle, au moins! siffle Marina.

Cathy garde les yeux baissés sur ses espadrilles, comme si elle ne pouvait supporter de me voir échouer une fois de plus.

Tout à coup, la sensation de puissance que j'avais éprouvée pendant la réunion la veille revient en force. De quoi ai-je peur, au juste? Je suis une *vampire*. Qu'est-ce qu'une partie de volley-ball à côté d'une partie de chasse sanguinaire au milieu de la nuit?

Je peux le faire. Je peux certainement faire ça! Rien de plus simple.

Le sang me monte à la tête. Je balance le bras. Mon poing entre en contact avec le ballon, le projetant vers l'avant avec tant de force que j'en ai le souffle coupé.

Le ballon franchit le filet à toute vitesse et vole au-dessus des joueurs de l'équipe adverse. Une fille bondit pour l'intercepter, mais elle rate son coup et le ballon retombe par terre.

Un silence stupéfait règne dans le gymnase.

Le sifflet tombe de la bouche de la prof.

— Bravo, Emma-Rose! crie Cathy en courant vers moi pour me serrer dans ses bras.

Je l'étreins à mon tour, avec un si grand sourire que j'en ai mal aux joues.

— Bravo, Emma-Rose! lancent quelques joueuses en applaudissant.

Je n'aurais jamais cru entendre ça. Je savoure le plaisir de la victoire.

Ce qui me réjouit encore plus est de voir Ève et Marina, immobiles, le teint blême. Elles échangent un regard stupéfait avant de me dévisager.

Je ne peux pas résister.

— Merci de votre soutien, les filles! leur dis-je.

Cathy pouffe de rire. Même la prof a un petit gloussement.

Après le cours, je retourne au vestiaire, en sueur et souriante. En me regardant dans le miroir au-dessus des lavabos, je suis presque déçue de voir que mes crocs n'ont toujours pas poussé.

Voilà ce que c'est que d'être surhumaine, me dis-je,

la tête haute. Pour la première fois depuis que j'ai compris qui je suis, je sens l'ancienne magie de mes ancêtres circuler dans mes veines.

À la fin de la journée, je sors en poussant les portes de l'école de mes bras pleins de vigueur. Mes cheveux se balancent au rythme de mes pas, tel un rideau de soie noire. Le ciel orageux me fait sourire davantage. Je descends les marches avec assurance, pleine d'énergie. Je pourrais facilement jouer une autre partie de volley-ball.

— Emma! Attends-moi!

Je me retourne et vois Gaby qui court vers moi, en faisant tressauter son sac à dos et ses boucles dorées.

Je lui envoie la main, heureuse de la voir. Nous n'avons pas eu l'occasion de bavarder ce midi, car Zora, Matt et Janie se sont assis à notre table pour discuter de la décoration du gymnase. Matt a convaincu quelques élèves de jouer le rôle de paparazzis. Zora et Janie ont trouvé un chaudron dans un magasin de déguisements du centre-ville. Je m'attendais à ce que Gaby participe à la conversation, mais elle a préféré discuter avec Cathy et Padma.

— Regarde ce que j'ai pour toi, dit-elle lorsqu'elle me rejoint. Je voulais te le donner plus tôt aujourd'hui.

Elle sort un petit sac de plastique de son sac à dos.

— Un cadeau? dis-je en riant. En quel honneur?

— Je me suis dit que tu avais besoin de te faire remonter le moral.

— Oh, c'est vrai que je...

Les mots se coincent dans ma gorge quand j'ouvre le sac et en sors une paire de crocs en plastique.

— C'est drôle, non? dit-elle avec une lueur espiègle dans ses yeux bruns.

Je fronce les sourcils. En ce moment, ma meilleure amie me semble presque une étrangère. Drôle? Je ne trouve rien de drôle à ma situation.

— Ouais, c'est tordant, dis-je d'un ton ironique en enfouissant les crocs dans mon sac à dos. Tout en évitant le regard de Gaby, je tourne les talons et m'éloigne de l'école. Des feuilles rouges et dorées craquent sous mes pieds.

Gaby m'emboîte le pas. Elle marche à côté de moi en silence quelques minutes, comme si elle ne savait pas quoi dire.

— Tu viens toujours chez moi? finit-elle par demander.

— Mais oui, lui dis-je, même si j'avais oublié qu'on est vendredi et que je vais toujours chez elle ce jour-là. As-tu invité Cathy aussi?

Je regrette aussitôt mes paroles en voyant son expression blessée.

— Non, répond-elle d'un ton cassant. Pourquoi aurais-je fait ça?

— Elle ira bien chez toi demain pour jouer au Wii, pas vrai? dis-je d'une voix plus brusque que je ne l'aurais voulu.

Gaby hoche la tête d'un air penaud.

— Oui. Padma ne peut pas parce qu'elle a un cours de piano. Mais tu peux venir aussi, Emma! s'empresse-t-elle d'ajouter. Je suis désolée de ne pas t'avoir invitée avant. Tu avais l'air distraite, cette semaine. Comme si tu préférais qu'on te laisse tranquille.

— Oui, je sais, dis-je, envahie par la culpabilité.

Nous marchons sur la 83e rue et contournons un groupe de pigeons.

— Est-ce que c'est à cause de cette histoire de « vampire »? demande Gaby avec un petit sourire, en mimant des guillemets avec ses doigts.

J'arrête de marcher. Je ne sais pas si c'est en raison de son cadeau « humoristique » ou de son ton moqueur, mais je suis soudain en colère.

— Peux-tu baisser le ton? dis-je à voix basse en jetant un coup d'œil derrière moi.

Le Musée d'histoire naturelle est tout près. Margot pourrait apparaître à tout moment, les crocs sortis et les ailes déployées. À cette pensée, mon corps se glace d'effroi.

— Je le savais, soupire Gaby, les mains sur les hanches. Je savais que tu étais encore obsédée par cette histoire. Je parie que tu n'en as pas encore parlé à ta grand-tante. Probablement parce que tu sais qu'elle va te fournir une explication logique, et ce n'est pas ça que tu veux!

Je suis à bout de patience.

— Non, dis-je. Je ne lui ai pas parlé parce qu'elle est nocturne, d'accord? Oh, et tu te souviens quand tu as voulu me convaincre que je n'avais aucun symptôme? Eh bien, tu avais tort.

En m'efforçant de parler à voix basse, je lui confie mes conclusions au sujet de mon douzième anniversaire. Je m'attends à ce qu'elle ouvre de grands yeux effrayés et qu'elle s'excuse d'avoir douté de moi.

Au lieu de cela, elle lève les yeux au ciel.

— Ça ne prouve rien, se moque-t-elle en secouant la tête. Ce n'est pas parce que tu as lu ça dans un seul site Web... Tu aurais dû m'en parler avant. J'aurais pu t'éviter beaucoup de stress.

Nous nous arrêtons au coin de la rue pour attendre le feu vert. J'entends le tonnerre gronder. J'observe Gaby, qui affiche un air supérieur, les bras croisés sur la poitrine.

M'a-t-elle déjà vraiment comprise?

— Voilà pourquoi je ne t'en ai pas parlé, dis-je. Je

savais comment tu réagirais. Je savais que tu ne me croirais pas.

Je comprends soudain que j'ai toujours su qu'elle ne me prendrait pas au sérieux. Une meilleure amie ne devrait-elle pas nous soutenir, peu importe la situation?

— J'essaie seulement de t'aider, proteste Gaby en haussant la voix pour se faire entendre par-dessus les klaxons. Voyons, Emma-Rose! Tu n'étais pas dans ton état normal, cette semaine!

Son attitude m'attriste. Tu es la descendante d'une ancienne dynastie, me dis-je pour me donner du courage. J'entends un autre roulement de tonnerre.

— C'est vrai que j'étais bizarre, dis-je. Mais je vais mieux, maintenant. En fait, je vais très bien, au cas où tu ne l'aurais pas remarqué.

— Oh, je l'ai remarqué, dit-elle sèchement en traversant la rue.

Ses joues sont roses, comme toujours quand quelque chose la tracasse.

— J'ai remarqué que tout ce qui t'importe maintenant est d'être la plus populaire du conseil étudiant, d'être copine avec des élèves de huitième et...

— *Quoi?*

Je m'arrête au milieu de la rue. Gaby doit me tirer par le bras pour me faire avancer. En atteignant le trottoir opposé, je suis rouge de colère. Je me sentais tellement bien aujourd'hui, et voilà que Gaby vient tout gâcher.

— Je croyais... Je croyais que tu étais *contente* pour moi, dis-je en balbutiant. Tu as même proposé que je sois la décoratrice en chef!

J'ai le cœur serré. J'ai l'impression que notre conversation dérape complètement. Dérape dans une direction encore plus effrayante que les vampires.

— Je n'aurais jamais cru que tu t'enflerais la tête à ce point! riposte Gaby.

Comme déclenchée par ses paroles, la pluie se met soudain à tomber. J'étais si pressée ce matin que j'ai oublié d'apporter un parapluie.

— C'est incroyable, dis-je en marmonnant. Tu es jalouse! Voilà ce qui se passe.

Elle lève les yeux au ciel.

— Tu es jalouse, dis-je encore une fois. Parce que je suis enfin capable de tenir tête aux gens et de dire ce que je pense. Alors que toi, tu n'as même pas encore eu le courage de parler à Milo dans ton cours de ballet!

Je finis ma phrase pratiquement en criant.

Gaby prend un air offensé. Je me mords la lèvre. Je n'avais pas l'intention de parler de garçons, ni d'être si méchante.

— Et alors? crache Gaby. Tu refuses bien d'avouer

que tu aimes Hugo Gilbert! C'est vrai que s'il découvre que tu es une *tu-sais-quoi*, tu n'auras aucune chance avec lui!

J'en ai le souffle coupé. Comment une chose pareille a-t-elle pu arriver si vite? Gaby et moi sommes soudain passées de meilleures amies à des filles qui se crient des horreurs à la figure. Je voudrais tout recommencer. Je voudrais la serrer dans mes bras et lui demander pardon. Mais j'ai l'impression qu'il est trop tard.

La pluie s'intensifie. Autour de nous, les gens ouvrent leurs parapluies. Nous restons là, à nous faire tremper.

— Je m'en fiche, dis-je d'un ton ferme et convaincu. Je me fiche de ce que tu penses, Gaby.

— C'est la même chose pour moi, Emma-Rose, dit-elle, les dents serrées.

Emma-Rose. Ça me fait un coup au cœur. Gaby ne m'a jamais appelée par mon nom au complet. Pour elle, j'ai toujours été « Emma ». J'ai une boule dans la gorge.

— Parfait, dis-je d'une voix entrecoupée. Je pense que je n'irai pas chez toi, alors.

— Parfait, réplique-t-elle d'un ton sec.

Ses yeux sont pleins de larmes... à moins qu'il ne s'agisse de gouttes de pluie.

Je répète, pour faire bonne mesure :

— Parfait!

Je pivote si vite que je fonce pratiquement dans un parapluie. Je traverse la rue en tremblant. En sept ans d'amitié, Gaby et moi ne nous sommes jamais disputées comme ça.

— Tu peux m'oublier pour la décoration du gymnase! crie-t-elle derrière moi.

— Je n'ai pas besoin de toi, de toute façon!

Je me mets à courir, mes pieds martelant le trottoir et la pluie s'abattant sur moi. Je cours de toute ma force de vampire. Je suis hors d'haleine et trempée en atteignant mon immeuble.

Puis je me rends compte d'une chose, la gorge serrée : Gaby est la seule personne qui connaît mon secret. Cathy et Padma se rangeront probablement du côté de Gaby si on leur demande de choisir. Mes nouveaux amis du conseil étudiant seraient horrifiés si je leur disais qui je suis vraiment. Mes parents ne peuvent pas m'aider. Ma grand-tante est trop occupée à se transformer en chauve-souris, à attaquer des animaux sans défense et à fuir le soleil pour me parler.

Je respire profondément et entre dans l'immeuble.

Je vais devoir me débrouiller seule.

Chapitre neuf

— Bonjourrr, ma jolie!

En ouvrant la porte de l'appartement, je fais presque une crise cardiaque à la vue de Margot. Elle s'avance vers moi, une de ses luxueuses valises de cuir dans une main, et un grand parapluie noir dans l'autre.

Je me fige sur place, dégoulinante d'eau de pluie qui ruisselle sur la carpette de l'entrée. J'en oublie Gaby et notre dispute.

C'est la première fois que je vois ma grand-tante depuis ce lundi soir fatidique. Je l'observe, à la recherche de signes rappelant l'inquiétante chauve-souris. Elle a le visage pâle, comme toujours, à l'exception de sa bouche rouge vif et de ses yeux marine. Ses cheveux noirs sont remontés en chignon sur sa tête. Elle porte un imperméable élégant noir et des bottes noires à hauts talons.

Pas d'ailes. Ni de crocs. Pour l'instant.

— Pourquoi as-tou peurrr? dit Margot avec un sourire qui dévoile ses dents très blanches. C'est seulement moi!

Elle ne sait pas... me dis-je, étonnée. Elle ne sait pas que je sais.

— Je... je... tu... dis-je en balbutiant. Tu retournes en Roumanie? finis-je par dire en désignant sa valise.

Je suis à la fois soulagée et inquiète. Enfin, ma grand-tante est devant moi, prête à partir. C'est le moment parfait pour lui poser toutes les questions qui me hantent. D'un autre côté, je voudrais qu'elle disparaisse en emportant tous les problèmes qu'elle m'a causés.

— Pas encorrre, ma belle, réplique-t-elle en s'approchant de moi.

J'ai un mouvement de recul, mais elle ne semble pas le remarquer. Elle m'embrasse sur la joue. Ses lèvres sont glacées.

— Je m'en vais seulement dans oune station santé pour quelques jourrrs, explique-t-elle. En Pennsylvanie.

Je ne l'avais jamais remarqué avant, mais le mot Pennsylvanie ressemble beaucoup à Transylvanie.

J'entends un gémissement et remarque que Bram est à l'autre bout du couloir, près de la chambre de mes parents. De toute évidence, il attend que Margot s'en aille.

— Je vais me reposer et me refairrre une beauté avant le gala, poursuit Margot en se dirigeant vers la porte. Tes parents sont au courrrant. Ils sont allés souper avec des amis, ce soir.

Je fais volte-face en m'écriant, désespérée :

— Attends!

Ma grand-tante se retourne et hausse les sourcils.

— Oui?

J'ouvre la bouche. Un million de questions se bousculent dans ma tête.

Que faites-vous chaque nuit, tes chauves-souris et toi?

Sors-tu maintenant parce qu'il pleut dehors?

Es-tu douée pour le volley-ball?

Quand vais-je devenir une véritable vampire?

Mais les mots ne parviennent pas à ma bouche. Tout ce que je peux dire, c'est :

— Quand... quand vais-je... vas-tu passer une bonne semaine?

Moi qui me croyais brave et capable de m'exprimer librement!

— Sûrrrement, ma jolie, dit-elle en ouvrant la porte. Tou dois te reposer, toi aussi. Vendredi serrra un grand soir pour toi!

Avant que je puisse lui dire que je n'irai pas au gala, elle sort de l'appartement. Un nuage de parfum fleuri flotte dans son sillage. Bram aboie, comme pour dire « bon débarras! ». Je reste plantée là dans mes vêtements mouillés, des questions sans réponses plein la tête.

— J'ai une question, dis-je en chuchotant au bibliothécaire.

Nous sommes le lendemain, et je suis à la bibliothèque de mon quartier. Je me suis réveillée déprimée, à la pensée de toutes les choses que j'aurais dû demander à Margot. Je me suis aussi imaginé tout le plaisir que Gaby et Cathy doivent avoir sans moi. Quand maman m'a vue en train de broyer du noir, elle m'a dit de faire quelque chose de « productif ». Je me suis souvenue que je devais aller à la bibliothèque pour le cours de Mme Grimm. Ce n'est pas la façon la plus géniale de passer un samedi, mais je suppose que c'est ce qui arrive quand on est une vampire qui a perdu sa meilleure amie.

Le bibliothécaire, un jeune homme maigrichon avec des lunettes à monture noire, lève les yeux de son écran.

— Oui? dit-il d'une voix normale.

Je suis étonnée. Je croyais que les bibliothécaires

devaient chuchoter.

— Je cherche des livres sur la Transyl... sur la Roumanie, dis-je en chuchotant.

— La Roumanie, répète-t-il d'une voix sonore.

Ses mots résonnent comme un cri dans la pièce silencieuse. J'ai envie de rentrer sous terre. Il désigne des rayonnages un peu plus loin.

— Merci, dis-je en remuant silencieusement les lèvres.

Je m'apprête à partir, puis je m'arrête. De toutes les choses cruelles que m'a dites Gaby hier, une en particulier me trotte dans la tête :

Ce n'est pas parce que tu as lu ça dans un seul site Web...

Je déteste l'admettre, mais mon ex-meilleure amie n'a peut-être pas tort. J'ai basé toutes mes théories sur un seul site Web à propos des vampires de Transylvanie. Mme Grimm n'a-t-elle pas dit qu'Internet n'est pas toujours la référence la plus fiable? Peut-être que de vieux volumes poussiéreux contiendront plus de réponses. En fait, c'est toujours comme ça pour *Harry Potter*.

Je me penche vers le bibliothécaire en chuchotant :

— Où puis-je trouver des livres sur les vam... vampi...

Je n'arrive pas à prononcer ce mot.

— Sur les vampires? dit-il en criant presque. Là-bas!

Il désigne des étagères au fond de la salle.

En retenant mon souffle, je regarde tous les gens assis aux tables. Je suis certaine qu'ils vont me dévisager ou agiter des têtes d'ail dans les airs. Par miracle, ils sont tous penchés sur leurs livres ou leurs portables. Je pousse un soupir de soulagement.

Je vais d'abord consulter les livres sur la Roumanie. Toutefois, je n'arrive pas à me concentrer, car je sais que des informations sur les vampires m'attendent à l'autre bout de la salle. Je passe donc rapidement devant M. Grosse-Voix et me dirige vers la section des vampires.

Ici, la lumière semble tamisée. Mon cœur se met à battre plus vite. Je me trouve dans une section intitulée « Légendes et folklore ». Je crois entendre des bruits de pas de l'autre côté de l'étagère. J'espère que c'est seulement mon imagination. Je préférerais être seule dans ce petit coin.

Il y a des livres sur les zombies, les revenants, les licornes et les sirènes. Finalement, je trouve trois ouvrages sur les vampires. Le premier s'intitule *Dans le sang : mythes et vérités sur les vampires.* Un autre porte le titre *À crocs : les vampires dans la littérature et la culture populaires.* Le dernier s'appelle tout simplement *Le vampyre.* Il est tellement vieux que sa reliure rouge foncé est craquelée et que les lettres du titre se décollent.

Je décide de les prendre tous les trois. Une fois dans mes bras, ils semblent peser une tonne. Je vacille sous leur poids. J'essaie d'avancer quand une voix familière et taquine s'élève derrière moi :

— As-tu besoin d'aide, Blanche Blanchard?

Les livres m'échappent des mains et tombent par terre dans un grand fracas. Aussitôt, les gens assis aux tables se retournent et me jettent des regards agacés. M. Grosse-Voix a même le culot de porter un doigt à ses lèvres en disant « chut! ».

Hugo Gilbert contourne lentement l'étagère et se plante devant moi, les yeux pétillants.

— On dirait bien que oui, dit-il.

Mes joues sont si enflammées que j'ai peur que mon visage prenne feu.

Hugo Gilbert?

C'est bien la dernière personne que je m'attendais à voir à la bibliothèque. Je voudrais m'esquiver pour envoyer un texto à Gaby au sujet de cette rencontre inattendue, puis je me souviens que nous sommes en froid.

— Non, je n'ai pas besoin d'aide, dis-je en chuchotant d'un air mortifié.

Mais Hugo est déjà accroupi pour ramasser les livres.

— Qu'est-ce que tu lis? demande-t-il en regardant les titres. *Dans le sang? Le vampyre?*

Je suis envahie par un sentiment de panique.

— Arrête! dis-je en essayant de reprendre les livres.

Mais il les tient hors de ma portée. Je ne veux pas faire une scène, alors j'abandonne. Il se lève avec un sourire triomphant.

— Que fais-tu ici? lui dis-je, les dents serrées dans un murmure. Tu ne devrais pas être à un entraînement de soccer ou quelque chose du genre?

— Pas aujourd'hui, répond-il d'un air détaché, en ajustant la courroie de son sac et en glissant mes livres sous son bras. Je suis venu faire ma recherche pour le cours d'études sociales. Mais j'avais terminé et je voulais voir s'il y avait quelque chose d'intéressant dans cette section.

Je remarque deux livres qui dépassent de son sac. L'un semble porter sur la France et l'autre sur la Russie.

— Ce... ce sujet t'intéresse? dis-je en désignant l'écriteau « Légendes et folklore ».

Je n'essaie même pas de cacher ma surprise. J'observe son chandail de soccer à capuchon, ses pantalons kakis et ses chaussures de course dernier cri. J'ai toujours pensé qu'il ne s'intéressait qu'aux sports, aux jeux vidéo et à sa popularité.

En fait, je ne le connais pas vraiment.

— Oui, beaucoup, dit-il en souriant.

Je me rends soudain compte que c'est la première fois qu'il ne me parle pas sur un ton moqueur.

— Tu devrais voir la collection de vieux films d'épouvante que j'ai chez moi, ajoute-t-il. Heu, je veux dire...

Il baisse la tête et contemple ses souliers.

Je le regarde en plissant les yeux, perplexe. Est-ce qu'il... rougit? Non. C'est impossible. Est-ce vraiment une invitation à aller chez lui? Non. C'est impossible.

— J'ai aussi une tarentule, annonce-t-il en levant les yeux. Mais tu détestes probablement les tarentules, hein?

Il semble embarrassé de m'en avoir révélé autant.

— Non, dis-je en haussant les épaules. Je les trouve intéressantes.

Du moment que personne de ma famille n'est secrètement une tarentule.

— Vraiment? s'exclame-t-il. Je croyais que toutes les filles étaient dégoûtées par les insectes. Alexandra l'est, en tout cas.

Le ton agacé sur lequel il prononce le nom d'Alexandra m'étonne. Se pourrait-il qu'il ne soit pas un de ses admirateurs? Voilà une autre surprise. J'ai toujours pensé qu'il l'aimait. Qu'il était même amoureux d'elle.

— Je suis très différente d'Alexandra, au cas où tu ne l'aurais pas remarqué, dis-je.

Je ne peux pas m'empêcher de sourire. En mon for intérieur, je pense : *est-ce que je suis vraiment en train d'avoir une conversation avec Hugo Gilbert? Ou bien est-ce que j'imagine tout ça?*

Ce n'est peut-être pas la chose la plus étrange qui me soit arrivée cette semaine, mais ça s'en approche.

— J'ai remarqué, dit-il en riant. Après tout, tu as eu toutes ces bonnes idées pour la fête d'Halloween.

— Oh. Hum. Merci.

Mon cœur fait une drôle de culbute dans ma poitrine. Je regarde mes pieds, les cheveux dans la figure. Vient-il juste de me faire un compliment? Bizarre.

— C'est pour ça que tu prends ces livres? demande-t-il en désignant les livres de vampires. Pour l'Halloween?

Je me dandine d'un pied sur l'autre.

— Ouais, dis-je. Mais je pourrais aussi les utiliser pour mon projet de généalogie.

— Allais-tu t'asseoir? demande-t-il avec un mouvement du menton vers une petite table dans un coin derrière nous.

— Heu, c'était mon intention, dis-je.

La surprise suivante, c'est qu'Hugo Gilbert transporte mes livres jusqu'à la table.

J'attends qu'il me taquine, mais il demeure poli, gentil même. Presque comme un ami. Je me demande si c'est parce que je lui ai crié après quand il m'a appelée Blanche Blanchard hier. Ou peut-être qu'il agit différemment (plus gentiment) parce qu'il est loin de l'école et de sa bande d'amis.

Je m'attends à ce qu'il me dise au revoir et s'en aille, peut-être pour retrouver Robert ou quelqu'un d'autre et aller au cinéma. Mais il reste là, à examiner les titres de mes livres.

— Comme ça, tu es fascinée par les vampires, dit-il avec un sourire.

Allons, bon.

J'avale ma salive et replace une mèche de cheveux derrière mon oreille.

— Je suppose que c'est un sujet qui... heu... qui me touche, dis-je finalement, en espérant qu'il n'entend pas mes battements de cœur.

Il hoche la tête, une lueur dans ses yeux verts.

— En parlant de vampires... dit-il en jetant un coup d'œil par-dessus son épaule tout en s'approchant de moi.

Je me sens encore rougir.

— Je n'ai jamais raconté ça à personne, mais veux-tu entendre un truc incroyable? me chuchote-t-il à l'oreille.

— Bien sûr, dis-je d'une petite voix.

Que pourrait-il me dire de plus incroyable que ma propre histoire?

— J'ai une théorie, dit-il. As-tu entendu parler des écureuils et des oiseaux morts qu'on retrouve chaque matin dans Central Park?

Je hoche la tête avec l'impression que je vais m'évanouir.

— Eh bien, poursuit-il d'un air songeur, je sais que c'est une idée complètement folle, mais on dirait presque que ces animaux ont été attaqués par des vampires. Tu sais, à cause des morsures à deux trous dans leur cou? C'est une marque classique de vampire, non?

Les rayonnages se mettent à tournoyer autour de moi. J'ai les mains et les pieds glacés.

— Les gens disent que c'est un faucon, dit Hugo, les yeux écarquillés. Voyons donc! Ce n'est sûrement pas un faucon! Je pense que... je parie qu'il y a des vampires à Manhattan.

Tout le sang se retire de ma figure. Sans avertissement, mes genoux fléchissent et je m'affale sur la chaise.

Hugo fronce les sourcils.

— Hé, ça va? Je ne voulais pas te faire peur. Voilà pourquoi je n'ai rien dit à personne! J'ai cru que tu comprendrais, puisque tu sembles t'intéresser aux vampires, mais...

— Je comprends, lui dis-je.

— Vraiment? dit-il en haussant les sourcils.

Je peux lire de la sincérité dans son regard. Cet après-midi est rempli de surprises, la plus grande étant que tout à coup, Hugo Gilbert me donne l'impression d'être quelqu'un à qui je peux me confier.

Toute la bravoure que j'ai ressentie à l'école hier m'envahit de nouveau. Peut-être que je ne suis pas entièrement seule sans Gaby. Peut-être que je peux partager mon secret avec la personne la plus inattendue au monde.

Je prends une grande inspiration. Je sais que je vais peut-être faire une grosse erreur. Je sais que je cours le risque qu'Hugo aille tout raconter à Alexandra, Ève, Robert et tous les élèves de l'école. Mais je suis prête à prendre ce risque, car je sens qu'il va croire ce que je m'apprête à lui confier.

— Je comprends, lui dis-je, parce que je suis une vampire.

Chapitre dix

Tout d'abord, Hugo ne dit rien. Il dépose son sac et s'assoit en face de moi. Puis il appuie ses coudes sur la table et me dit à voix basse, avec un regard sérieux :

— Raconte-moi tout.

J'ai peur que la voix me manque. Je fouille donc dans mon sac pour en sortir mon cahier d'études sociales et un stylo. Pendant qu'Hugo attend, j'écris tous les événements de mon incroyable semaine. Je ne mentionne pas ma dispute avec Gaby ni ma victoire au volley-ball, et me concentre surtout sur les détails concernant ma grand-tante Margot. Je ne sais pas pourquoi, mais le fait de tout mettre par écrit me donne une impression de légèreté et de liberté. Ça me fait presque autant de bien que dessiner.

Quand j'ai terminé, je remue mes doigts pour les dégourdir et je pousse le papier vers Hugo. Il le lit attentivement. Ses yeux verts parcourent la feuille couverte de mon écriture bâclée. Je retiens mon souffle en l'observant.

J'ai peur que, tout comme Gaby, il se moque de mon histoire de chauves-souris, de dynasties et de Transylvanie. Je crains aussi qu'il éclate de rire, fasse sortir Alexandra de sa cachette et me dise, de sa voix moqueuse habituelle, que tout ça était une blague. Ou alors qu'il pâlisse, se lève d'un bond et s'éloigne en chancelant, dégoûté.

Mais aussitôt qu'il a fini de lire, il me redonne la feuille. Il me regarde dans les yeux et demande :

— Alors, comment allons-nous savoir quand tu deviendras une véritable vampire?

C'est peut-être le fait qu'il a dit « nous » qui me donne envie de lui jeter les bras autour du cou. Heureusement, je résiste à mon impulsion. Je prends la feuille de papier et la chiffonne avant de l'enfouir dans mon sac à dos.

— Merci, dis-je en espérant qu'il peut lire toute ma gratitude sur mon visage. Merci de ne pas t'être sauvé en courant.

— Tu veux rire? dit Hugo en secouant la tête, les yeux brillants d'excitation. J'ai toujours su que ces choses existaient dans la vraie vie. Mais je n'en ai jamais vraiment parlé avec mes amis. Un jour, j'ai demandé à Robert s'il croyait aux fantômes, et il m'a dit d'arrêter de faire l'imbécile.

Il lève les yeux au ciel.

— C'est vrai que tu fais souvent l'imbécile, mais là n'est pas la question, lui dis-je.

C'est amusant de le taquiner un peu à mon tour.

Il sourit.

— Hé, toi! Ce n'est pas parce que tu es une vampire novice que tu peux tout te permettre!

Je dresse l'oreille :

— Une vampire novice? C'est ce que je suis?

— Je crois, oui, dit Hugo en prenant le livre intitulé *Dans le sang*. J'ai lu un livre comme celui-ci l'an dernier. On disait que les vampires qui ne sont pas encore adultes sont appelés des novices. Je n'en suis pas certain, ajoute-t-il en ouvrant le livre à la première page, mais je crois me souvenir qu'il y a une espèce de cérémonie ou de rituel où les novices deviennent de véritables vampires et peuvent se métamorphoser en chauves-souris ou autre chose.

— Vraiment? dis-je en chuchotant, pendant qu'un frisson me parcourt l'échine. Peut-être qu'un de ces livres en parle.

— On n'a qu'à vérifier, dit Hugo avec une expression déterminée.

Dissimulés dans un recoin poussiéreux de la

bibliothèque, Hugo et moi nous plongeons chacun dans un livre. Nous nous les échangeons quand nous trouvons des détails intéressants.

Dans le sang parle surtout des nombreux films et livres sur les vampires parus à différentes époques. Hugo me dit qu'il possède la plupart de ces films et me propose de les regarder pour poursuivre notre recherche au besoin.

À crocs ne nous apprend pas grand-chose de plus que le site Web. Toutefois, j'y lis que les chauves-souris vampires affamées ont souvent les yeux rouges, et que le mot roumain pour désigner un vampire est *nosferatu*, ce qui est encore plus terrifiant, à mon avis.

Mais c'est dans les pages jaunies et fragiles du livre *Le vampyre* que nous trouvons le meilleur filon. Il contient un chapitre intitulé « Les dynasties de Transylvanie ». Hugo rapproche sa chaise de la mienne pour le lire avec moi.

Le chapitre parle de la mystérieuse beauté des montagnes Carpates et des anciennes lignées de vampires de la région. Je suis si fascinée que j'en oublie d'être nerveuse parce qu'Hugo est à côté de moi.

Et alors? Il n'y a pas de quoi s'énerver.

N'est-ce pas?

En arrivant à la deuxième page, Hugo a une exclamation étouffée et désigne un paragraphe qui me glace le sang :

Chaque vampire connaît le très important Rituel Nocturne. Les novices reçoivent une convocation spéciale à cet ancien rite d'initiation et sont dans l'obligation d'y assister. C'est là, parmi des légions de vampires, que les novices se transforment pour la première fois en grandes chauves-souris ailées.

— C'est ça! s'exclame Hugo en oubliant de chuchoter. C'est le rituel dont je parlais!

— Le Rituel Nocturne, dis-je dans un murmure.

Ce nom me fait frissonner. Notre recoin de la bibliothèque me paraît soudain plus sombre et plus frais qu'auparavant.

De l'autre côté de la salle, le bibliothécaire, M. Grosse-Voix s'éclaircit la gorge et jette un coup d'œil dans notre direction. Hugo et moi le regardons, puis haussons les épaules avant de nous replonger dans le livre.

Présidé par l'Impératrice des vampires, le Rituel Nocturne se déroule la nuit de la deuxième pleine lune de l'automne. Cet événement secret est entouré de mystère : il se tient dans un pays lointain, différent chaque année. Treize ans doivent s'écouler avant qu'il puisse prendre place au même endroit. Il a lieu à l'intérieur, souvent au beau milieu d'un grand bal ou d'une célébration. Si des imposteurs humains sont présents, ils sont aussitôt identifiés, car ils ne peuvent se métamorphoser en chauves-souris.

— C'est du sérieux, dit Hugo.

Je m'appuie au dossier, en essayant d'absorber tous ces détails.

— Un pays lointain? dis-je, découragée. Comment suis-je censée me rendre à ce rituel? Je n'ai pas la permission de prendre l'avion toute seule.

— C'est un pays éloigné de la *Transylvanie*, souligne Hugo en suivant le texte du doigt. Ça peut être n'importe où. Ça pourrait même être ici, à New York.

Un vague souvenir me revient à l'esprit. Une chose qu'une personne a mentionnée récemment, au sujet de New York et de treize années. Qu'est-ce que c'était, au juste? Je ferme les yeux et tente de me remémorer la conversation.

— À quoi penses-tu? demande Hugo.

— Je pense que vous dérangez tout le monde, fait M. Grosse-Voix, nous faisant sursauter.

J'ouvre les yeux et le vois devant nous qui nous fixe d'un regard désapprobateur.

— Vous devez parler beaucoup moins fort dans une bibliothèque, dit-il en nous menaçant du doigt. Je vais devoir vous demander d'aller poursuivre votre petite réunion ailleurs.

Il est sérieux? J'échange un regard avec Hugo. L'homme qui a la voix la plus forte de la planète nous accuse d'être trop bruyants? Ce serait drôle si cela ne venait pas interrompre nos recherches.

— Désolé, dit Hugo en dissimulant un sourire.

Nous nous levons et rassemblons nos livres et nos papiers. En ronchonnant contre M. Grosse-Voix, nous prenons l'ascenseur jusqu'au rez-de-chaussée. Hugo y emprunte ses livres pour le projet de généalogie, pendant que je prends *Le vampyre.*

Nous sortons de la bibliothèque et nous retrouvons en plein soleil. En traversant la rue avec Hugo, je sors mes lunettes de soleil de mon sac. Mais avant que je puisse les mettre, j'aperçois quelque chose qui me paralyse soudain.

Au coin de la rue se trouve un kiosque à journaux avec une grande affiche publicitaire. On peut y lire, sur fond orange et noir :

CHAUVES-SOURIS, OPOSSUMS ET HIBOUX, HOU, HOU!

VENEZ DÉCOUVRIR

LES CRÉATURES DE LA NUIT

OUVERTURE LE 1ER NOVEMBRE

AU MUSÉE D'HISTOIRE NATURELLE

ANGLE 79E RUE ET CENTRAL PARK OUEST

Mon pouls s'accélère.

L'exposition. Margot. Ses chauves-souris. À New York.

Voilà ce dont j'essayais de me souvenir. Une conversation à propos de tante Margot! Jeudi matin, maman m'a dit que Margot était venue à New York il y a treize ans.

Treize ans.

Et la vieille dame du bulletin de nouvelles! N'a-t-elle pas parlé d'attaques similaires dans Central Park il y a treize ans?

Je me mets à trembler. C'est ça. Il n'y a aucun doute.

— Hé, qu'est-ce qui se passe? demande Hugo en remarquant mon expression.

Je me tourne vers lui.

— Je pense... je pense que je viens de comprendre quelque chose.

Sans un mot, nous allons nous asseoir sur un banc. Je sors le livre de mon sac. Je l'ouvre et lit à haute voix :

... Treize ans doivent s'écouler avant qu'il puisse prendre place au même endroit. Il a lieu à l'intérieur, souvent au beau milieu d'un grand bal ou d'une célébration.

Je regarde Hugo, remplie de crainte et d'excitation.

— Hugo, ma grand-tante est venue à New York il y a treize ans. Je suis certaine qu'il y avait d'autres vampires avec elle. Je ne sais pas quelle sorte de célébration ou de bal avait lieu à l'époque, mais je sais qu'elle va assister à une grande célébration cette semaine! Le gala d'ouverture de l'exposition Créatures de la nuit a lieu le soir de l'Halloween, au Musée d'histoire naturelle!

Les yeux d'Hugo s'écarquillent.

— L'Halloween? chuchote-t-il. Il va y avoir une lune de sang ce soir-là!

— Qu'est-ce qu'une lune de sang? dis-je en me croisant les bras pour m'empêcher de trembler.

— C'est ainsi qu'on appelle parfois la pleine lune d'octobre ou de novembre, à cause de sa couleur rougeâtre. Et comme il y a déjà eu une pleine lune en septembre, celle du 31 octobre sera *la deuxième pleine lune de l'automne!*

Nous nous regardons en silence, bouleversés.

Tout concorde. Absolument tout. Le gala fournira une distraction idéale. En outre, le musée est immense, rempli de recoins où se cacher. Mon esprit s'emballe. Je revois toutes les différentes salles du musée. Celles des dinosaures, des dioramas, de la grande baleine bleue, du planétarium... *Où se déroulera le rituel?*

— Attends une minute, dit Hugo, interrompant le cours de mes pensées. N'aurais-tu pas dû recevoir une convocation?

J'imagine une élégante invitation expédiée par la poste, avec les mots « Vous êtes cordialement invitée au Rituel Nocturne » inscrits en lettres de sang. Je frissonne.

— Est-ce que ta grand-tante t'a parlé du gala? demande Hugo.

— Je ne lui ai pas beaucoup parlé, dis-je avec un soupir. Juste à son arrivée, puis hier après-midi, lorsqu'elle...

Je m'interromps. Qu'a dit Margot en partant hier?

Vendredi sera un grand soir pour toi!

Mon cœur s'arrête de battre une seconde. Je pensais qu'elle faisait seulement référence à la soirée d'ouverture, mais elle parlait sûrement d'autre chose.

Je répète ses paroles à Hugo.

— C'était bien ta convocation, dit-il. Maintenant, il n'y a plus de doute.

Je hoche la tête d'un air hébété. Puis je regarde mes bras. Des bras qui vont bientôt se transformer en ailes noires luisantes. Je me touche la joue. Qui sera sous peu une face de chauve-souris. Je tâte mes canines du bout de la langue, en imaginant mes crocs pousser. Tout cela va vraiment se produire. Je vais devenir une véritable vampire.

Tu parles d'un grand soir!

— C'est dément, murmure Hugo.

Je vois bien qu'il trouve génial de me voir plonger dans cette aventure. Par contre, je ne sais pas trop comment je me sens.

— Est-ce que tu vas aller seule au musée? demande-t-il. Peut-être que des amis devraient t'accompagner pour monter la garde?

— Peut-être.

Attends.

Mon cœur se serre.

Dans toute mon excitation, j'avais complètement oublié...

— Il y a un hic, dis-je avec un soupir, en m'adossant au banc.

— Quoi? dit Hugo d'une voix inquiète.

— La fête d'Halloween! Elle a lieu au même moment! Et tu as entendu Alexandra. Maintenant que je suis responsable de la décoration, je dois absolument être présente.

— Mais tu ne peux pas manquer le Rituel Nocturne, souligne Hugo en m'enlevant le livre des mains. Il est écrit ici que les novices sont dans l'obligation d'y assister.

Je pousse un grognement en enfouissant mon visage dans mes mains.

— Je sais!

Je suis toujours aux prises avec le même problème.

— À moins que... commence Hugo.

Je le regarde avec espoir.

— À moins que tu n'installes les décorations à toute vitesse, avant de courir au musée. Ce n'est qu'à deux pâtés de maisons de l'école.

Je repousse ma frange de mon front, indécise. Comment vais-je réussir à transformer le gymnase en décor hollywoodien, puis arriver à temps à mon initiation de vampire, surtout sans l'aide de Gaby?

— Je pourrais t'aider, propose Hugo.

Je tourne la tête vers lui, surprise.

— Vraiment?

— Je ne suis pas doué pour la décoration, dit-il avec un petit sourire, mais je peux essayer. Et je pourrai distraire Alexandra avec quelques questions de vice-président quand tu devras t'éclipser.

Je fronce les sourcils. Je suis reconnaissante, mais perplexe. Je décide d'être franche (ce doit être la nouvelle Emma-Rose qui me pousse ainsi à parler sans détour).

— Je ne comprends pas, dis-je. Pourquoi... pourquoi

es-tu si gentil avec moi? À l'école, tout ce que tu fais, c'est te moquer de moi et m'appeler Blanche Blanchard.

Il rougit et se passe la main dans les cheveux avec une expression troublée.

— Je... heu... je veux savoir comment va se terminer cette histoire de vampire, dit-il en balbutiant, sans vraiment répondre à ma question. Bon, je dois retrouver Robert au parc pour jouer au soccer, ajoute-t-il en jetant un coup d'œil à sa montre.

Je regarde aussi ma montre et je m'exclame :

— Oh là là! Je dois rencontrer mon père! Il doit m'attendre devant la bibliothèque pour rentrer à la maison.

Nous nous levons et il me tend le livre.

— Alors, bonne chance, dit-il. On pourra s'en reparler à l'école.

— D'accord, dis-je, encore surprise par le cours des événements.

Je lui envoie la main et m'apprête à partir.

— Hé, Emma-Rose! lance-t-il.

Je tourne la tête vers lui.

— Je ne raconterai rien à personne, dit-il avec une expression solennelle. Je te le promets.

Emma-Rose?

Je cligne des yeux.

Il m'a appelée Emma-Rose?

— Merci, dis-je d'une voix étranglée avant de tourner les talons.

J'ai le cerveau en ébullition. C'est la première fois qu'Hugo Gilbert m'appelle par mon vrai nom.

Mais je n'ai pas le loisir de penser à Hugo. J'ai des questions plus importantes à régler.

Comme le fait que dans moins d'une semaine, ma vie va changer pour toujours.

Chapitre onze

Un brouillard complet. Voilà la meilleure façon de décrire les jours qui précèdent l'Halloween.

Dimanche, chaque fois que j'essaie de lire *Le vampyre,* je deviens si nerveuse à cause du Rituel Nocturne que je dois refermer le livre. Puis j'écris un courriel qui est un mélange d'excuses et d'accusations, mais je n'ai pas le courage de l'envoyer à Gaby. Enfin, je fais quelques croquis, possiblement inspirés par le visage d'Hugo Gilbert.

Lundi matin, je me fais réveiller par le bip de mon cellulaire. C'est un message texte de Gaby. À ma grande déception, elle n'écrit pas pour s'excuser. Elle m'envoie le message le plus glacial de l'histoire du texto : Je n'irai pas te chercher.

Je lui réponds aussitôt, en appuyant si fort que je brise pratiquement les touches de mon téléphone :

Parfait!

Parfait! réplique-t-elle pour avoir le dernier mot.

Je suis dans une telle furie que j'avale mes saucisses tout rond. Quand mes parents me demandent ce qui se passe, je leur dis simplement que Gaby et moi avons eu un « différend ».

Je ne veux pas les tracasser avec mes histoires, puisqu'ils auront bientôt une véritable vampire sous leur toit. *Est-ce que je serai un danger pour eux?* me dis-je en marchant vers l'école avec papa tout en gardant une distance respectable entre nous. Je ne mordrai pas mes propres parents, n'est-ce pas? Ou peut-être que je le ferai et qu'ils devront m'enfermer dans une cage, comme les chauves-souris de Margot.

Si je deviens nocturne, me dis-je en envoyant la main à papa qui tourne le coin et en pénétrant dans l'école, *est-ce que je pourrai continuer d'aller à l'école?*

Je me rends compte que ma vie va bientôt changer, et en comparaison de ce que ma vie sera, ma dispute avec Gaby me semblera tout à fait anodine.

À l'école, Gaby et moi nous évitons. C'est facile, puisque nous ne suivons aucun cours ensemble. En classe, Padma et Cathy me jettent des regards circonspects. Leurs commentaires se résument à : « J'espère que vous allez bientôt vous réconcilier! » et « Ce sera bizarre si Gaby et toi n'êtes plus amies. »

À midi, je résous le problème pour tout le monde en passant devant leur table — Gaby fait mine d'être absorbée par son sauté de tofu — et en allant m'asseoir avec Zora, Janie et Matt, du conseil étudiant. Je me plonge dans une discussion sur la fête d'Halloween, en essayant d'oublier l'autre Soirée importante qui aura lieu vendredi soir.

Je ne suis pas surprise de voir que Gaby est absente de la réunion du conseil, après l'école. Elle n'est donc pas là pour entendre Hugo m'appeler Emma-Rose (une deuxième fois!) en prenant les présences. Même Mme Grimm semble surprise. C'est toutefois la seule indication qu'il donne de notre rencontre de samedi. Il demeure silencieux pendant toute la réunion, tout comme Alexandra. Elle semble anxieuse et surmenée. Zora, Matt, Janie et moi sommes pratiquement les seuls à parler. Matt annonce qu'il a obtenu la permission d'emprunter le squelette du labo de science, et je demande à tout le monde d'apporter des pommes pour remplir le chaudron.

Mardi et mercredi se déroulent à peu près de la même façon. Ce qui est incroyable, c'est que malgré mon état d'esprit brumeux, je poursuis ma métamorphose en nouvelle Emma-Rose. On dirait que mes capacités s'intensifient à mesure que mon initiation approche. En éducation physique, je réussis des services et des smashes incroyables. La prof me prend même à part pour me demander si j'aimerais passer l'épreuve de sélection pour l'équipe de volley-ball de l'école.

Mais je ne peux partager aucune de ces victoires avec Gaby. Nous n'avons jamais été aussi longtemps sans nous parler. C'est une sensation très étrange.

Mercredi soir, dans mon lit, je réfléchis à Gaby. Je me dis que je vais peut-être perdre tous mes amis quand je serai une créature de la nuit. J'imagine que je me ferai de nouveaux amis à crocs?

Soudain, j'entends une clef dans la porte d'entrée. Je me redresse dans mon lit. Mes parents sont allés se coucher il y a longtemps. Je me lève pour jeter un coup d'œil discret dans le couloir. Effectivement, c'est ma grand-tante qui se dirige vers sa chambre, une valise à la main. Elle ne me voit pas.

Sous le clair de lune qui entre par les fenêtres, je vois qu'elle semble moins blafarde que d'habitude. *Dans quelle sorte de station santé est-elle allée?* me dis-je. Une oasis pour vampires, avec des boissons gourmet à base de sang et des caves luxueuses où dormir? Est-ce que j'irai à cet endroit, moi aussi, quand le temps viendra?

Je retourne me coucher et essaie de rester éveillée pour épier Margot. Mais le sommeil me gagne et je fais encore le cauchemar peuplé d'yeux rouges. Cette fois, la terreur que j'éprouve semble bien réelle.

C'est jeudi, me dis-je en me réveillant, couverte de sueur. *La réunion du conseil.* Pas étonnant que j'aie fait ce cauchemar. Je voudrais envoyer un texto à Gaby pour le lui dire, mais je ne suis pas prête à faire les premiers pas.

À l'école, j'espère quand même croiser mon ex-amie dans les couloirs. À midi, je m'assois avec mes copains du conseil, mais j'écoute à peine quand Janie décrit les bruits sinistres qu'elle a téléchargés sur son iPod pour la fête.

Quand je regarde par-dessus mon épaule, Cathy et Padma m'envoient la main, mais Gaby m'ignore et continue de planter sa fourchette dans sa salade.

En arrivant dans la classe 101 après les cours, je suis stupéfaite de voir Gaby à sa place habituelle, à l'arrière. Je vais m'asseoir à ma place sans la regarder. Lorsque je sors mon cahier et mon stylo, elle se penche sur mon pupitre, comme avant.

Je te trouve immature, écrit-elle de son écriture soignée.

Je pousse un soupir. Quel culot!

J'écris à mon tour :

MOI? C'est toi qui as monté nos amies contre moi!

CE N'EST PAS VRAI! écrit-elle. *C'est toi qui as décidé de ne pas t'asseoir avec nous le midi!*

L'encre de son stylo bave sur la feuille et ses joues tournent au rose vif.

Je prends mon stylo pour lui répondre quand Alexandra s'écrie « Silence! » en frappant son maillet sur le bureau.

Je ne peux résister. J'échange un coup d'œil avec Gaby. Malgré notre dispute, nous nous demandons la même chose : la pression de son rôle de présidente-princesse commencerait-elle à ébranler Alexandra Lambert?

Malgré son allure frêle, elle jette un regard méprisant dans ma direction, puis nous rappelle que la fête a lieu demain. Elle demande ensuite à Hugo de prendre les présences. Je me redresse, impatiente que Gaby entende Hugo prononcer mon nom. Mais Hugo, qui est assis dans la première rangée, les jambes étendues devant lui, ne se lève pas.

— J'ai réfléchi, Alexandra, dit-il. Est-ce qu'il faut vraiment prendre les présences à chaque réunion? Si quelqu'un ne peut pas venir de temps à autre, ce n'est pas si grave, non?

On entend des murmures et des chuchotements. Une autre rébellion est en train de se fomenter.

Alexandra semble horrifiée. Une fois de plus, Mme Grimm mentionne le « processus démocratique » et nous demande de voter sur cette question. Les seuls qui sont en faveur de la prise des présences sont Alexandra et moi.

Alexandra est si ébranlée par cette modification qu'elle clôt la séance plus tôt et sort d'un air théâtral avec Ève. Les autres membres du conseil se réjouissent, impatients de profiter du reste de l'après-midi. Je suis en train de prendre mon sac à dos quand Hugo s'approche de mon pupitre.

— Salut, dit-il.

— Oh, salut! dis-je, rougissante, en replaçant une mèche de cheveux derrière mon oreille.

— Je voulais... heu... te remercier, dit Hugo en souriant.

— Pourquoi donc? dis-je en roulant nerveusement mon stylo entre mes doigts.

Je sens pratiquement Gaby qui tend l'oreille.

— Pour m'avoir incité à tenir tête à Alexandra, répond-il. C'est facile d'oublier qu'elle ne gouverne pas tous les élèves de première secondaire!

Je hoche la tête, heureuse qu'Hugo reconnaisse mon influence. Mais va-t-il continuer de faire comme s'il ne s'était rien passé samedi?

— Alors, es-tu... es-tu prête pour demain? demande-t-il à voix basse.

Je mens, l'estomac noué par l'angoisse :

— Oui, bien sûr.

— Bon, réplique-t-il d'un air dubitatif.

Il hausse les épaules et enfouit les mains dans ses poches, puis s'éloigne pour aller retrouver Robert.

Aussitôt qu'il est parti, Gaby me tape sur l'épaule.

— De quoi parlait-il? chuchote-t-elle, les yeux remplis de curiosité.

Je meurs d'envie de tout lui raconter, mais il y a trop de monde autour de nous. De plus, je suis encore froissée à cause de notre échange de messages.

— Rien, dis-je froidement. Tu ne me croirais pas, de toute façon.

Ce soir-là, je suis seule avec papa pour souper. Maman et Margot sont restées au musée pour préparer la soirée d'inauguration. Pendant que je pignoche dans mon assiette de pâtes, papa me demande en quoi je vais me déguiser pour l'Halloween (mes parents ne savent pas encore que je vais faire acte de présence au gala).

Préoccupée par le Rituel Nocturne et ma transformation, je n'ai toujours pas choisi de déguisement. Je n'ai plus le temps de préparer mon costume d'Hermione gothique. Alors, après le souper, je fouille ma chambre pour trouver d'autres idées. Quand je secoue mon sac à dos, deux objets en tombent : la confession chiffonnée que j'ai écrite pour Hugo, et les crocs en plastique offerts par Gaby.

Debout dans ma chambre, la lettre et les crocs dans les mains, je comprends soudain que la réponse est là depuis le début.

Je vais me déguiser en moi-même.

Vendredi matin, il fait un temps gris et humide, idéal pour l'Halloween. J'enfile la tenue que j'avais prévu porter pour le gala : ma jupe de satin noir et ma blouse mauve à jabot. Comme c'est la tradition d'arriver à l'école en costume, je glisse les crocs de plastique dans ma bouche. Ils me paraissent très confortables, ce qui ne me surprend pas. J'applique de la poudre blanche sur mes joues pour pâlir davantage mon visage, mets du mascara et trace deux traits de rouge à lèvres de ma bouche à mon menton. J'attache un ruban noir à mon cou, puis me regarde dans le miroir.

Même si je m'y attendais, je m'étonne de voir à quel point je ressemble à ma grand-tante. *Tu ferais mieux de t'y habituer,* me dis-je en montrant les crocs à mon reflet.

— Ah! Un vampire! s'écrie papa quand j'entre dans la cuisine.

Il porte la main à sa poitrine en me pointant du doigt.

Je dépose mon sac de décorations par terre.

— Ça va, papa, je n'ai plus six ans! La fête d'Halloween n'a pas autant d'importance qu'avant.

À moins qu'elle ne coïncide avec un ancien rituel de vampires.

— Ton costume est très convaincant, Emma-Rose, dit maman en me tendant un verre de jus de canneberges. Dommage que Margot soit déjà partie au musée et qu'elle ne puisse te voir! Savais-tu qu'il y a plusieurs légendes de vampires dans sa ville? En fait, dans toute la région d'où nous venons. C'est drôle, non?

Je la regarde. Je pourrais lui répondre toutes sortes de choses, mais je décide plutôt de boire mon jus.

L'école grouille de fantômes, de superhéros, de loups-garous, de pirates et de princesses. Évidemment, Alexandra Lambert est une princesse, avec un diadème scintillant et une robe de bal rose bouffante. Je rigole en voyant qu'Ève et Marina sont déguisées en anges. Quant à Gaby, Padma et Cathy, elles sont costumées en fées, ce qui m'agace profondément. Quelques autres filles sont des vampires, mais aucune ne semble aussi authentique que moi, comme me le fait remarquer Zora, elle-même déguisée en coccinelle.

Il n'y a qu'un seul garçon vampire, et je tombe sur lui en me rendant à mon cours de sciences.

— Tu n'as pas fait ça! dit Hugo, bouche bée, en voyant mes crocs, mon visage poudré et mon faux sang.

— Tu n'as pas fait ça! dis-je à la vue de ses crocs, de sa cape noire et de son faux sang.

— Hé, j'avais prévu ce costume bien avant samedi! dit-il en riant, les mains dans les airs.

Il jette un coup d'œil par-dessus son épaule et s'approche de moi.

— Vas-tu porter ce costume pour le... tu-sais-quoi? chuchote-t-il.

Je secoue la tête.

— J'espère avoir le temps d'enlever le sang avant que...

— Hé, Dracula! lance Robert en s'approchant d'Hugo.

Je profite de cette interruption pour m'éloigner, en me demandant si Hugo compte toujours m'aider à décorer le gymnase.

Après la dernière cloche, Zora, Janie et Matt m'aident à transporter les décorations jusqu'aux portes du gymnase. Puis mes nouveaux amis partent en me promettant de se libérer à temps pour revenir me donner un coup de main. Le cœur lourd, je les assure que je vais me débrouiller. Je soulève deux sacs et entre seule dans le gymnase.

— Joyeuse Halloween! dit Gaby.

Elle est assise dans les gradins, les genoux contre la poitrine. Elle a une expression sérieuse. Enfin, aussi sérieuse que possible pour quelqu'un qui a les joues couvertes de poudre scintillante et des antennes sur la tête.

Je dépose mes sacs, stupéfaite.

— Que... que fais-tu ici? dis-je en balbutiant.

Gaby se lève en faisant osciller ses ailes de fée dorées.

— Pensais-tu vraiment que je ne viendrais pas t'aider? demande-t-elle d'une voix douce.

Je hausse les épaules et baisse les yeux sur mes ballerines noires.

— Eh bien, la semaine dernière, tu as dit...

— J'ai dit beaucoup de choses, m'interrompt-elle. Des choses que je ne pensais pas.

Je la regarde descendre les gradins. Serait-elle en train de me faire des excuses?

— Moi aussi, dis-je.

Avec regret, je me rappelle toutes les paroles cruelles que nous nous sommes dites vendredi dernier.

En voyant Gaby ici, devant moi, je m'aperçois à quel point elle m'a manqué.

— J'aime ton costume, dit Gaby avec un petit sourire.

Un sourire se dessine lentement sur ma figure.

— Merci. Tout est dans les crocs, tu sais!

Elle secoue la tête.

— Ce n'était pas un cadeau très gentil.

— Mais oui, dis-je, la gorge serrée. Je ne l'ai pas apprécié à sa juste valeur, c'est tout.

Je m'aperçois que j'ai réagi trop vite en me fâchant contre elle, alors qu'elle voulait simplement m'aider, à sa façon.

— Ton déguisement est très réussi, lui dis-je en désignant sa camisole à paillettes, son jean noir, ses ailes et ses antennes.

— Cathy et Padma ont volé mon idée, dit-elle en levant les yeux au ciel. Quand on s'est rencontrées pour préparer nos costumes, hier soir, je me disais que ça aurait été beaucoup plus amusant avec toi.

Elle baisse les yeux et se mord la lèvre.

Mes yeux se remplissent de larmes.

— Avais-tu autant de peine que moi cette semaine?

Elle me regarde, les yeux pleins d'eau.

— Oh oui! réplique-t-elle d'une voix tremblotante.

Tout à coup, je m'aperçois à quel point notre dispute était ridicule. Rien ne peut changer le fait que nous sommes des meilleures amies. Pas même ma nature de vampire.

Gaby doit avoir compris la même chose, car elle s'avance et me prend dans ses bras. Nous nous étreignons en pleurant et en riant à la fois.

— Je suis désolée, s'exclame-t-elle. Excuse-moi de ne pas t'avoir crue. Je n'ai pas été une bonne amie.

Je tapote ses ailes. Elle recule d'un pas et essuie ses larmes, couvrant ses doigts de poudre dorée. Je tapote mes yeux du dos de la main, en espérant que mon mascara ne coule pas.

— Ça va, dis-je avec sincérité. Je suis désolée, moi aussi. Je n'aurais pas dû me fâcher contre toi. C'est juste qu'il se passait tellement de choses, avec la fête et...

— Je sais! s'écrie Gaby. Je trouve ça génial que tu t'occupes des décorations! Et tu avais raison. J'étais un peu jalouse que tu sois au centre de l'attention. Mais c'est fini. Tu sais, je suis vraiment contente pour toi, Emma.

Elle secoue la tête, pleine de remords.

Emma. Le fait d'entendre ce nom me remonte le moral.

— Je sais que tu l'es, dis-je doucement.

Gaby renifle et ajuste ses antennes.

— Et je me sens coupable de ne pas t'avoir écoutée à propos de l'autre chose, dit-elle à voix basse, bien que nous soyons seules dans le gymnase. Après notre dispute, j'ai fait une recherche dans Google sur les vampires et la Transylvanie. Je dois dire qu'il y a du vrai dans tout ça. Je voulais même t'envoyer des liens par courriel, mais j'étais trop entêtée.

— Je voulais t'écrire, moi aussi. Je pense qu'on est toutes les deux trop entêtées. C'est peut-être pour ça qu'on est des meilleures amies?

Nous nous sourions. Même si je sais qu'une soirée importante et effrayante m'attend, j'ai soudain envie de sauter de joie.

— Bon, raconte-moi tout, chuchote Gaby, les yeux brillants. Y a-t-il du nouveau au sujet de ta grand-tante? Je meurs d'envie de le savoir.

— Il y a du nouveau, en effet, dis-je, avec des papillons dans l'estomac.

Tout en sortant les décorations des sacs, je lui raconte les derniers événements. Je commence par ce qu'Hugo et moi avons découvert à la bibliothèque et termine par ma mission secrète de ce soir. Gaby ne lève pas une seule fois les yeux au ciel. Elle m'écoute attentivement et s'exclame aux moments adéquats.

— Alors, c'est de cela qu'Hugo parlait, hier! s'écrie-t-elle quand j'ai terminé. Emma, je n'arrive pas à croire qu'il est devenu ton ami! Tu sais ce que je pense? Je pense que tu lui plais!

Je rougis.

— Quoi? Mais non. Il s'intéresse aux trucs de vampires, c'est tout. C'est pour cette raison qu'il m'a aidée à la bibliothèque.

Gaby secoue la tête énergiquement, ce qui agite ses antennes.

— Je t'en prie! C'est tellement évident! Pourquoi penses-tu qu'il te taquine sans cesse? Il est *amoureux* de toi.

— Impossible, dis-je d'un ton ferme. Crois-moi, Gaby. Hugo Gilbert n'est pas...

Avant que je puisse terminer ma phrase, les portes du gymnase s'ouvrent et une voix de garçon résonne dans le vaste espace désert :

— Saviez-vous qu'il y a un squelette dans le couloir?

Gaby et moi nous regardons avec horreur. Nous a-t-il entendues?

— Je... heu, oui, dis-je en bredouillant, prise au dépourvu. Je devais le transporter dans le gymnase.

Je baisse la tête pour cacher mes joues rouges.

— Je vais aller le chercher, dit-il.

Il fait volte-face en faisant voler sa cape de vampire.

Puis il tourne la tête vers nous.

— Pourquoi restez-vous là à bavarder? Vous n'avez pas encore commencé à décorer?

— Oh, il a raison! souffle Gaby en regardant le ciel sombre par les fenêtres au-dessus des gradins. Il faut qu'on termine à temps pour que tu ailles au gala.

Elle jette un regard entendu à Hugo, qui la dévisage en haussant les sourcils.

— Hé oui, lui dit-elle, les mains sur les hanches. Je sais tout. Je suis sa meilleure amie!

Je souris à Gaby, puis me penche pour ouvrir un sac de ballons. Hugo retourne dans le couloir chercher le squelette et le reste des décorations.

— Bon, dit Gaby en sortant les serpentins noirs. C'est parti pour l'Opération Halloween à Hollywood!

Nous nous déplaçons dans le gymnase comme un tourbillon. Pendant qu'Hugo déroule le tapis rouge et installe le iPod et les haut-parleurs, Gaby et moi soufflons les ballons, suspendons les serpentins et collons les décalques sur les murs. En l'espace d'une heure, l'espace est complètement transformé. Nous reculons pour admirer notre œuvre.

Le gymnase ressemble maintenant à la plus géniale des maisons hantées. La machine à brouillard remplit l'air de vapeur et un gloussement de zombie s'élève des haut-parleurs. Les murs sont couverts de décalques scintillants représentant des crânes, des fantômes et des toiles d'araignées. Sur le mur du fond se détache en grosses lettres sinistres le mot HOLLYWOOD. Des ballons et des serpentins noirs et orange pendent du plafond. Ils frôlent la tête de notre squelette, qui est debout à l'entrée pour accueillir les élèves.

— C'est parfait, dit Gaby en ajustant le bout du tapis rouge avec son orteil. Grâce à toi, Emma!

Elle applaudit, à mon grand embarras.

— Je n'aurais pas pu réussir sans vous, dis-je franchement. Ni sans Zora, Janie et Matt.

— Peut-être bien, dit Hugo en souriant. Mais c'est toi le génie qui a eu toutes ces idées.

Je sens mon visage s'enflammer de nouveau. Tout à coup, Ève entre dans le gymnase.

— Qui est un génie? demande-t-elle en replaçant son auréole.

— Pas toi, marmonne Gaby.

Je me couvre la bouche pour cacher mon fou rire.

— C'est Emma-Rose, répond Hugo. C'est elle qui a fait tout ça.

Il désigne les décorations d'un geste du bras.

Ève a l'air impressionnée, mais elle se reprend rapidement et rejette ses cheveux en arrière.

— Ce n'est pas mal, dit-elle d'un ton sec. Je vais

envoyer un texto à Alexandra pour lui dire que c'est approuvé.

Elle sort son téléphone cellulaire de la poche de sa robe blanche.

— Où est Alexandra? dis-je en cherchant des ciseaux pour couper un bout de ruban adhésif.

— Elle avait un autre engagement important, réplique-t-elle. Elle va avoir un peu de retard.

— Vraiment? dis-je, irritée.

Alexandra a *exigé* que je sois là tôt, et elle ne se donne même pas la peine d'être présente? C'est bien égoïste... et c'est bien son genre.

— Emma, chuchote Gaby en me touchant l'épaule. C'est bientôt l'heure.

Elle tapote sa montre. Mon cœur s'arrête de battre. Ça y est.

— D'accord, dis-je en déposant les ciseaux. Je vais aller enlever mon maquillage.

Le gala n'étant pas un bal costumé, il faut que je sois présentable.

Elle hoche la tête.

— Hugo et moi allons t'attendre dehors.

— Quoi? Vous allez venir avec moi?

Mon regard se promène d'Hugo à ma meilleure amie.

— Bien sûr, dit-il pendant qu'Ève s'éloigne pour

examiner la machine à brouillard. Nous devons nous assurer que tu arrives en sécurité au musée.

Un sentiment de gratitude m'envahit. Je ne savais pas toute l'importance que peuvent avoir de bons amis. Avant que je puisse les remercier, les portes s'ouvrent. Zora, Janie et Matt entrent, suivis des paparazzis bénévoles, armés d'appareils photo.

— Excusez notre retard! s'écrie Zora en courant vers moi. Le gym est *magnifique*!

— Vous n'êtes pas en retard, dis-je en lui tendant les ciseaux et le ruban adhésif. Je dois partir, mais je vais revenir un peu plus tard.

Je ne précise pas que je risque de revenir sous la forme d'une chauve-souris...

Chapitre douze

La pleine lune est basse dans le ciel étoilé. Gaby, Hugo et moi nous hâtons pour franchir les deux pâtés de maisons qui nous séparent du musée. Une lune de sang, me dis-je en observant la faible lueur rougeâtre. L'air est frisquet. Quelques arbres de Central Park ont déjà perdu leurs feuilles, et leurs branches dénudées s'étendent comme des bras squelettiques. Je frissonne dans ma blouse légère, en regrettant de ne pas porter de cardigan.

Le musée, un grand édifice orné de colonnes de marbre, semble encore plus imposant ce soir. Il est éclairé par des projecteurs et une bannière orange et noire ondule au-dessus de l'entrée. On peut y lire l'inscription « Créatures de la nuit ». Des limousines noires sont garées devant l'édifice. Des femmes aux robes chatoyantes et des hommes en smoking montent le grand escalier et présentent leurs invitations aux gardiens de sécurité.

Nous devons offrir un étrange spectacle, Gaby, Hugo et moi, lorsque nous gravissons les marches : un jeune vampire séduisant, une jolie fée dorée et une fille pâlotte et tremblante. Nous nous immobilisons devant la grande statue de bronze de Theodore Roosevelt sur son cheval.

— Tiens, dit Gaby en me tendant son petit sac à main noir. J'ai mis ton téléphone dedans. Appelle-nous ou envoie un message si tu as besoin de quoi que ce soit.

— Je ne pense pas qu'une chauve-souris puisse envoyer des messages texte, dis-je en claquant des dents.

— Alors, appelle-nous quand le rituel sera terminé, chuchote Hugo. Nous reviendrons te chercher.

Mon ventre se serre.

— Quoi? Vous n'allez pas m'attendre ici?

Ils secouent la tête, désolés.

— Il faut qu'on retourne à la fête, explique Hugo. Ça éveillerait les soupçons si on était absents tous les trois.

— Et... heu... je dois retrouver Milo à l'école, dit Gaby en tripotant une de ses antennes avec un petit sourire gêné. Il doit déjà être arrivé.

Pendant une seconde, j'en oublie le Rituel Nocturne.

— Milo de ton cours de ballet? dis-je d'une voix perçante. Il vient à la fête?

Gaby hoche la tête, souriante et rougissante.

— Mercredi, je suis allée le voir après le cours de ballet et je l'ai invité à la fête de l'école. Et il a dit oui! Tu avais raison, Emma! Il suffisait que j'aie le courage de lui parler.

— Oh, Gab! dis-je, tout heureuse pour mon amie.

Je l'étreins rapidement. Hugo lève les yeux au ciel, mais il sourit.

— Bon, amusez-vous bien à la fête, dis-je. Je vous verrai plus tard... ou peut-être pas!

Je n'ai aucune idée de ce que l'avenir me réserve. En tant que vampire, pourrai-je mener la même vie qu'avant? Aller à l'école? Garder mes amis?

— À plus tard, dit Gaby d'une voix ferme, en me serrant une dernière fois dans ses bras. On sera là pour toi, quoi qu'il arrive.

Hugo a l'air embarrassé par cette déclaration, mais il hoche la tête en me fixant de ses yeux verts.

— Et surtout, courage! chuchote Gaby en souriant.

Après m'avoir souhaité bonne chance, ils descendent les marches. Je les regarde s'éloigner le long de Central Park. Puis, le cœur battant, je me dirige vers l'entrée du musée. Un couple élégant me précède et montre un carton d'invitation de couleur ivoire aux gardiens. Je n'ai pas d'invitation, mais je sais que franchir les portes du musée sera ma tâche la plus facile de la soirée.

Les gardiens sont Timothée, qui me donnait des bonbons quand j'étais petite, et Érica, une femme franche et directe. En m'approchant, j'entends Timothée dire à Érica :

— ...ils n'ont toujours pas compris comment ces cages s'ouvrent chaque nuit.

— Je te le dis, il y a quelque chose de bizarre au sujet de ces chauves-souris, réplique Érica.

Mon sang se glace dans mes veines. Érica ne sait pas à quel point elle a raison. Je voudrais tout leur raconter, les avertir qu'un rituel va prendre place ce soir. Puis Timothée m'aperçoit et s'exclame :

— Emma-Rose! Ça alors, comme tu as grandi! Il y a longtemps que tu n'es pas venue au musée.

Il a l'air si heureux de me voir que je ne peux me résoudre à lui dire la vérité. Alors, je réponds d'un air nonchalant :

— Bonsoir, Timothée! Est-ce que mes parents sont déjà à l'intérieur? Je devais venir avec eux, mais j'ai été retardée à l'école.

— Oui, ils sont arrivés, dit Timothée en me laissant passer. Ta grand-tante aussi. C'est une dame très

spéciale.

— Il y a quelque chose de bizarre au sujet de sa grand-tante... marmonne Érica.

Quand je lève les yeux vers elle, elle m'adresse un grand sourire en disant :

— Salut, Emma-Rose!

Je hoche la tête et passe devant elle pour entrer dans le majestueux hall.

Le gala bat son plein. Les invités tirés à quatre épingles bavardent, une flûte de champagne à la main. De la musique classique joue doucement, les colonnes sont ornées de cordons lumineux et des serveurs circulent avec des plateaux de canapés au saumon et de rouleaux printaniers. J'aperçois le maire et trois vedettes de cinéma. Pendant un instant, je me détends et admire tout l'éclat du spectacle qui s'offre à moi.

Soudain, je vois mes parents, à quelques pieds de là. Je recule et me cache derrière un pilier. Je ne veux pas qu'ils sachent que je suis ici. Cela susciterait trop de questions. De ma cachette, je remarque que maman est superbe dans sa robe vert clair, et que papa est tout pimpant dans son smoking. Ils grignotent des rouleaux printaniers tout en discutant avec quelqu'un. Quand le serveur qui me bloque la vue se déplace, je vois que cette personne est ma grand-tante Margot.

Elle porte une robe longue noire, un châle de dentelle noire, des gants de soie noire et un collier couleur de rubis. Elle rit en réponse à un commentaire de mon père, et semble aussi calme que le ciel étoilé à l'extérieur. *Le rituel n'est donc pas commencé,* me dis-je. *Y aura-t-il une espèce de signal quand il débutera?*

Maman fait tinter une fourchette contre son verre pour attirer l'attention des invités. La musique se tait et la grande salle devient silencieuse. Je reste derrière le pilier, en priant pour que mes parents ne me voient pas.

— Bonsoir à tous, dit maman. Je suis Liliane Blanchard. J'ai l'honneur de vous accueillir ce soir à l'inauguration de l'exposition Créatures de la nuit. Un grand nombre de personnes ont permis de rendre cette exposition la plus éducative et passionnante possible. J'aimerais les remercier ce soir. Tout d'abord, permettez-moi de vous présenter Margaret Romanescu, spécialiste des chauves-souris et taxidermiste de renommée mondiale. Il se trouve qu'elle est également ma tante!

La foule éclate de rire et applaudit Margot, qui s'approche de maman.

— Bonsoirrr, dit ma grand-tante avec son accent marqué. Je dois dirrre que ma nièce Lili est une excellente conservatrrrice de musée. Quand je loui ai suggérrré cette exposition, elle a accepté avec enthousiasme et a tout mis en œuvre pour la concrrrétiser.

Bien entendu, c'était l'idée de Margot! me dis-je en frissonnant.

— Veuillez m'excouser, mais je dois aller mettrrre la dernière main à l'exposition, dit Margot en saluant la foule. Nous voulons que tout soit parfait! Bonne soirrrée!

Sur ces mots, elle tourne les talons et dépasse les guichets pour se diriger vers l'intérieur du musée.

Je sursaute. *Elle quitte le gala.* C'est le signal. Le Rituel Nocturne va commencer! Maintenant, je sais où il va se dérouler.

Je m'éloigne discrètement de mon pilier, pendant que maman présente un homme aux cheveux gris qu'elle décrit comme un expert réputé en matière de rats. Tout le monde est si occupé à applaudir que nul ne me voit me faufiler à travers la foule.

Je retiens mon souffle en passant devant les guichets. Puis j'entends quelqu'un appeler :

— Hé, toi!

Oh, non.

Je tourne la tête et vois un des serveurs qui m'observe.

— Où vas-tu? demande-t-il, du ton soupçonneux qu'adoptent souvent les adultes avec les enfants.

Je réfléchis vite.

— Aux toilettes, dis-je.

Avant qu'il puisse me questionner davantage, je m'éloigne au pas de course.

Des écriteaux sur les murs me guident vers l'exposition Créatures de la nuit. J'espère qu'aucun gardien ne patrouille cette section du musée, et que nul autre que le serveur ne m'a vue prendre cette direction.

Je me hâte dans les pièces sombres remplies de dioramas d'animaux. Ce soir, les ours, loups, cerfs et antilopes empaillés me paraissent menaçants derrière leurs panneaux vitrés. Je traverse une des salles de dinosaures, où les os de brontosaure luisent comme de pâles fantômes. Après la cafétéria, j'atteins enfin une arcade portant l'inscription « Créatures de la nuit : début de l'exposition ».

Je ne peux plus reculer.

J'entre sur la pointe des pieds, le cœur battant. La pièce est glaciale et plongée dans l'obscurité totale.

Le silence semble m'engloutir. J'essuie mes mains moites sur ma jupe de satin et prends une grande inspiration. Je scrute la pièce sombre.

Je sens un frisson d'épouvante me parcourir

l'échine, mais je résiste à l'envie de m'enfuir. Je dois aller de l'avant.

C'est alors qu'une pensée me traverse l'esprit :

Je suis en train de vivre mon cauchemar.

Ce moment correspond au rêve terrifiant que je fais depuis des semaines! Est-ce que ce cauchemar était une espèce de convocation?

Mes yeux s'accoutument lentement à l'obscurité qui m'entoure. Je vois une grande pancarte portant l'inscription : Chauves-souris. En effet, tout autour de moi, des vitrines non couvertes contiennent les chauves-souris « empaillées » de ma grand-tante Margot. Elles sont, une fois de plus, suspendues à l'envers, leurs petits yeux fermés comme si elles dormaient.

Puis, une à une, elles commencent à ouvrir les yeux. Comme dans mon rêve, ces yeux luisent d'un éclat rouge vif. Des petits yeux rouges de chauves-souris. Des yeux démoniaques. Qui me regardent fixement.

Dans un des livres de la bibliothèque, j'ai lu que les yeux de chauves-souris vampires affamées étaient rouges. Je suis soudain prise d'un tremblement incontrôlable. Ces chauves-souris doivent être affamées, mais elles ne vont pas m'attaquer, n'est-ce pas? Je suis l'une d'entre elles, ou du moins, je le serai bientôt.

Les chauves-souris commencent à déployer leurs ailes, puis, toutes ensemble, elles s'élèvent de leurs vitrines. Leurs ailes remuent l'air et leurs yeux rouges brillent dans le noir. Je me mords la lèvre pour m'empêcher de hurler.

Je les observe décrire un virage en piqué avant de s'envoler plus loin dans l'exposition. Je sais que je n'ai pas le choix. Je les suis en chancelant, traversant des pièces pleines de rats, d'opossums, de koalas et d'autres créatures nocturnes empaillées.

Des sons étouffés me parviennent d'une des salles devant moi. Ils deviennent de plus en plus distincts. Je comprends bientôt que ce sont des voix qui murmurent.

J'entre dans la dernière salle. Ici, les murs sont couverts d'affiches donnant des détails scientifiques sur les créatures de la nuit. La pièce est vide, à l'exception d'un groupe de jeunes rassemblés au centre. Ils ont tous une petite carte rouge à la main et ont l'air terrifiés.

Des jeunes de douze ans, me dis-je aussitôt en notant leurs visages livides. *Des vampires novices. Comme moi.* Je ne sais pas s'ils m'ont vue. Ils ont les yeux fixés sur les chauves-souris qui se sont posées sur la corniche du plafond.

L'une des chauves-souris — la superbe créature

luisante et gracieuse que j'ai vue se transformer en Margot la semaine dernière — voltige dans les airs face au groupe de novices tremblotants. Je tremble aussi. J'ai la bouche sèche et les pieds engourdis. Je me demande si je devrais me joindre à eux.

Mais avant que je puisse bouger, la chauve-souris se métamorphose. Ses ailes se changent en bras, ses pattes griffues deviennent des jambes, ses oreilles rapetissent et sa face prend la forme du visage que je connais bien.

Je remarque, surprise et le cœur serré, qu'elle n'est pas la seule à se transformer. Toutes les autres chauves-souris se laissent tomber du plafond. Comme Margot, elles commencent à avoir des bras, des jambes, des pieds, des mains. Leurs oreilles deviennent humaines, leurs museaux se changent en nez et leurs petits yeux rouges s'agrandissent. Peu à peu, l'espace autour des novices se remplit d'adultes de taille normale.

Les novices poussent des exclamations terrifiées, mais mon propre cri semble coincé dans ma gorge. Je ne peux que contempler, bouche bée, les vampires qui sont devant moi.

Comme les novices, ils sont de diverses formes, couleurs et tailles. Il y a toutes sortes de vampires :

des hommes et des femmes, des grands maigres, des petits grassouillets... Certains ont le teint clair et d'autres la peau couleur chocolat. Quelques-uns ont l'air cruels et crachent en direction des novices en faisant mine de les mordre. D'autres semblent gentils et leur envoient des baisers. Quelques-uns sont vêtus de noir, d'autres de rouge, et d'autres encore de jaune, d'orange, de vert ou de rose. Il ne semble pas y avoir une allure typique de vampire. Ma peau claire et ma préférence pour les couleurs sombres ne sont peut-être qu'une coïncidence.

Les vampires ont toutefois un trait en commun : ils ont tous de très longs crocs blancs et pointus.

J'entends le bruit de ma respiration inégale. Comme je n'ai pas poursuivi ma lecture du *Vampyre*, je n'ai aucune idée des étapes du Rituel Nocturne. Je me demande si chacun des novices doit être mordu par un vampire. Je porte les mains à ma gorge, en reculant davantage dans mon coin sombre.

Lorsque tous les vampires ont pris une forme humaine, ma grand-tante frappe des mains et commence à parler d'une voix claire et retentissante :

— En tant qu'Impératrice des vampirrres, je vous souhaite la bienvenue au cinq cent quatre-vingtième Rituel Nocturne!

J'ai une exclamation étouffée. Ma grand-tante est l'Impératrice? Je ne sais pas si je dois être fière ou terrifiée.

Les vampires adultes applaudissent poliment, pendant que les novices se blottissent les uns contre les autres.

— N'ayez pas peurrr, mes petits, déclare Margot. Cet ancien rite est le plus important moment de vos jeunes existences en tant que crrréatures de la nouit. Vous avez été convoqués de tous les coins du monde pour devenir de véritables vampirrres! J'ai le plaisirrr de revenir à New York après treize longues années. L'an dernier, le rituel a eu lieu à Parrris, et ce fut tout un gâchis, pour des raisons que je ne nommerai pas ici.

Les vampires adultes hochent la tête et grommellent entre eux en se rappelant leur séjour à Paris.

— Et maintenant, dit Margot en tapant des mains, je vais réciter l'incantation!

— Excellent, murmure une vampire en joignant les mains. J'ai hâte que la chasse commence!

J'ai un haut-le-cœur. Alors, quand nous serons tous des vampires, nous nous envolerons dans la nuit pour chasser? Est-ce que je serai prête?

Margot lève les bras dans les airs. Un silence tendu

règne dans la pièce. Puis elle prononce une série de mots dans une langue mélodieuse. Je suppose que c'est du roumain. Le seul mot que je reconnais est *nosferatu.*

Vampire.

Lorsqu'elle a terminé, elle baisse les bras.

Soudain, je remarque un mouvement et un bruissement au sein du groupe de novices. Ils commencent à se transformer un à un.

Un mince garçon aux cheveux roux est le premier à se métamorphoser. Son carton rouge flotte jusqu'au sol quand ses bras deviennent de longues ailes brun-roux. Ses bras et ses jambes se convertissent en pattes griffues, son visage rapetisse, ses oreilles s'allongent. L'instant d'après, il est une chauve-souris. Une chauve-souris dont la gueule ouverte révèle de longs crocs blancs pointus. Margot lui adresse un grand sourire.

La tête me tourne. J'entends un tintement dans mes oreilles. Qui sera le prochain? Moi? Quelqu'un d'autre? Pour la première fois, j'observe attentivement les novices. Je vois une fille aux longs cheveux blond platine et aux yeux bleu clair, qui porte un diadème scintillant et une robe de princesse rose bouffante.

Mon cœur s'arrête de battre une seconde.

C'est Alexandra Lambert!

Elle frissonne. Je ne l'ai jamais vue aussi vulnérable. Mes pensées se bousculent dans ma tête. Est-ce pour cette raison qu'elle semblait si frêle à l'école, cette semaine? Et qu'elle n'est pas venue approuver la décoration du gymnase?

Comment se fait-il qu'elle soit une vampire, elle aussi?

Il me semble impossible que cette princesse blonde qui adore les couleurs pastel soit une créature nocturne. Pourtant, sous mon regard stupéfait, le diadème glisse de sa tête et tombe sur le sol avec un cliquetis. Le visage de ma camarade de classe a maintenant la taille d'une tête de chauve-souris.

Le cri qui était coincé dans ma gorge s'échappe enfin. Je laisse tomber le sac à main de Gaby. Mon téléphone heurte le sol avec un bruit sec.

Tout le monde se tourne vers moi. En un éclair, les vampires m'encerclent. Leurs yeux rouges luisants me fixent avec curiosité et leurs crocs blancs s'allongent.

Tout se met à tournoyer. J'ai l'impression d'être dans un manège. Des taches sombres flottent devant mes yeux. Mes genoux sont si faibles que je ne peux plus tenir debout.

Que se passe-t-il? Suis-je en train de devenir une chauve-souris?

J'entends une voix familière, celle de Margot, crier

mon nom :

— Emma-Rrrose!

Puis tout devient noir.

Chapitre treize

— Emma-Rrrose, ma jolie?

Je me force à ouvrir les yeux. Je suis étendue sur le dos, la tête appuyée sur quelque chose de moelleux. Margot est assise à côté de moi et ses yeux marine sont remplis d'inquiétude.

Tout me revient en mémoire : le Rituel Nocturne, Alexandra Lambert, les chauves-souris...

— Est-ce que... est-ce que je suis une chauve-souris? dis-je d'une voix rauque.

J'essaie de soulever la tête — qui semble avoir sa taille habituelle — pour regarder mes bras. Ils me paraissent normaux.

— Bien sûrrr que non, dit gentiment Margot.

Elle m'aide à m'asseoir. Nous sommes dans la salle où a eu lieu le rituel, mais nous sommes seules.

— Où... où sont les autres? dis-je en regardant

autour de moi, affolée.

— Ils ont dû... s'envoler, répond prudemment ma grand-tante. Tou as été inconsciente quelques minutes.

— Je me suis *évanouie*? Tout le monde m'a vue?

Même Alexandra? me dis-je. Je secoue la tête, ébranlée. C'est la première fois de ma vie que je perds connaissance.

Margot hoche la tête.

— Heurrreusement que je souis arrivée à temps pour t'attraper. Tiens, bois, ajoute-t-elle en me tendant un gobelet de carton rempli d'un liquide rouge vif.

— Qu'est-ce que c'est? dis-je en chuchotant, tremblante de peur.

— Du jous de canneberges. Ta mère m'a dit que c'est ta boisson préférrrée, répond Margot avec un petit sourire.

Ses crocs ont disparu, remplacés par des dents blanches ordinaires.

— Maman est ici?

Je me tourne pour examiner la pièce.

— Mais non, dit Margot en me tapotant l'épaule. Détends-toi. Tes parrrents ne savent pas ce qui s'est passé. Ils sont là-haut, en train de s'amuser.

Je regarde ma grand-tante, l'esprit encore brumeux.

— Qu'est-ce qui s'est passé, au juste? dis-je d'une voix affaiblie par la peur et la confusion.

— Bois, et ensuite nous parlerons, dit-elle.

Je me méfie de ce liquide rouge. Mais en prenant une gorgée, je reconnais le goût pur et acidulé du jus de canneberges. Je l'avale d'un trait et me sens aussitôt mieux.

— Merveilleux, dit Margot en reprenant le gobelet. J'ai bien fait de demander à Édouard d'aller te chercher à boire à la cafétérrria.

— Qui est Édouard? Est-ce que c'est un...

Je le regarde furtivement. J'hésite à prononcer le mot qui me hante depuis deux semaines.

— ...vampire? finis-je par demander en chuchotant.

Margot ne répond pas tout de suite. Puis elle hoche lentement la tête.

— Alors, c'est vrai! dis-je, les yeux fixés sur son visage. Tout est vrai. Tu es l'Impératrice des vampires?

Elle baisse les yeux avec modestie.

— Eh oui! murmure-t-elle.

Je connaissais la réponse, mais ça me donne un coup de l'entendre le confirmer. Je continue, le cœur battant.

— Et les chauves-souris que tu as apportées à New York ne sont pas empaillées. Chaque nuit, vous vous envolez dans Central Park pour boire le sang des écureuils, des oiseaux, des ratons laveurs et...

Et tu es un monstre redoutable, me dis-je avec un

mouvement de recul.

— Attends, dit Margot avec un mouvement de la main qui fait luire le rubis de sa bague. C'est vrai, mes collègues ont chassé dans Central Park. Je les accompagne parfois, mais seulement pour les superviser. Je dois m'assurer qu'ils ne sont pas trrrop cruels. En tant qu'Impératrice, je n'ai plus besoin de sang animal. Je me nourris des mêmes aliments que les humains, comme la viande rrrouge.

— Est-ce que les vampires se nourrissent de sang... humain? dis-je en chuchotant.

— Non! répond-elle avec un frisson. La plupart des vampirrres n'attaquent plus les humains. Ceux qui le font nuisent à notre réputation. Les membres les plus évolués de notre race ont cessé cette pratique barbarrre il y a des siècles.

— Ah bon! dis-je en laissant tomber mes bras mollement de chaque côté. Je ne savais pas ça.

— Comment aurrrais-tu pu le savoir? dit-elle avec un gloussement.

Je hausse les épaules. Mon cœur bat toujours la chamade.

— Parce que je suis comme toi. Je suis une... j'étais une novice...

— Toi, tou es une charmante jeune demoiselle qui est beaucoup trop currrieuse, m'interrompt-elle en caressant mes cheveux.

Je fronce les sourcils.

— Que veux-tu dire?

Elle répond d'une voix amusée :

— Je suis désolée de te décevoir, mais tou n'es pas une vampirrre.

Ses mots me font l'effet d'une douche froide. Je cligne des yeux, en espérant que je ne m'évanouirai pas de nouveau. Je me lève en chancelant, sous le regard calme de ma grand-tante.

— Mais... non! Je *sais* que j'en suis une! Tu n'as pas besoin de me mentir pour me rassurer. Premièrement, je te ressemble. Deuxièmement, j'adore la viande rouge et je déteste l'ail. Troisièmement, je ne dors pas la nuit et j'ai horreur du soleil. Quatrièmement, j'ai des crocs miniatures. Et cinquièmement, tu m'as convoquée au Rituel Nocturne!

Je reprends mon souffle en la défiant du regard. Me ment-elle parce que je me suis évanouie? Parce qu'elle pense que je ne suis pas assez forte pour devenir une vampire?

— Assieds-toi. Je vais tout t'expliquer, réplique-t-elle en prenant mes mains dans les siennes.

À contrecœur, je me rassois sur son châle.

— Tu me ressembles parce que nous sommes parrrentes, explique-t-elle. Tou devrais être contente, car j'étais plutôt séduisante quand j'étais jeune.

Elle bat des cils et tapote son chignon.

— Mais je croyais que le vampirisme était héréditaire, dis-je. Qu'il était transmis par la filiation maternelle! Si j'ai hérité de ton apparence, pourquoi pas de ta...

— *Différence?* dit-elle avec un rire désabusé. Le vampirisme est hérrréditaire, mais il peut sauter de nombreuses générations. Par exemple, quand je suis devenue vampirrre, j'ai découvert que mon arrière-grand-mère en était une. Même si tu ne possèdes pas ces gènes, il se peut qu'un de tes enfants... Seul l'avenir le dirrra, conclut-elle avec un sourire mystérieux.

Mes enfants? Je fais la grimace. Cela me semble si lointain que j'ai du mal à l'imaginer.

— Alors, le fait que nous venons de Transylvanie n'a rien à voir avec tout ça?

— Tous ceux qui étaient ici ce soir ont du sang trrransylvanien dans les veines. Il y a des vampirrres sur toute la planète, mais le rituel que tu as vu est une coutume purement trrransylvanienne.

J'essaie d'absorber toutes ces informations. C'est bizarre de penser que la famille d'Alexandra Lambert est transylvanienne.

— Bon, reprenons ta liste, poursuit Margot. Comme tu sais, bien des gens aiment le steak saignant, tout

comme beaucoup détestent l'ail. Certaines personnes, surtout celles qui ont une imagination débordante, font de l'insomnie. Il y a trrrop de pensées, là-dedans, dit-elle en frappant mon front de ses doigts glacials. Surtout quand on grandit et que la vie devient plus compliquée.

— Oh, dis-je doucement.

Je dois admettre que ce qu'elle dit est logique.

— C'est vrai que le soleil nuit aux vampirrres, poursuit-elle. Nous ne sortons pas pendant la journée et faisons une sieste l'après-midi. Toutefois, certains d'entre nous aiment le soleil. Ils sont tristes que leurrr état les empêche de se prélasser sur une plage. Donc, ton horreur du soleil, chère Emma-Rose, fait tout simplement partie de toi. Tout comme tes... comment dites-vous, déjà?

Elle désigne mes dents.

— Mes canines, dis-je en souriant.

Je les tâte du bout de la langue. Elles sont aussi pointues qu'avant, mais pas autant que des crocs de vampires.

— Finalement, tou n'as *pas* été convoquée au Rituel Nocturne, déclare-t-elle. Je suis étonnée que tou aies découvert tout ça, mais tu es une fille plutôt étonnante. Ceux qui sont convoqués reçoivent un carton rouge une semaine avant le rituel, avec un billet d'avion ou de train, si nécessairrre. Les novices sont tenus au secrrret le plus complet. Nous avons des moyens de savoir qui nous trrrahit.

Elle baisse les yeux.

Je frissonne.

— Je n'ai pas reçu de carton. Mais j'ai fait un cauchemar. J'ai rêvé que j'étais à l'exposition et que je voyais les yeux rouges des chauves-souris.

— Oh? dit-elle en levant un sourcil. De nombreux vampires ont le don de voyance. Peut-être que ce don t'a été trrransmis génétiquement. Très intérrressant!

— Alors, je suis peut-être *un petit peu* vampire?

J'éprouve un mélange d'espoir et de crainte. Mais Margot secoue la tête.

— Si tu l'étais, tu te serais transformée en chauve-sourrris quand j'ai prononcé l'incantation. Et comme tu peux le constater...

Elle désigne mon corps.

Je regarde mes bras, ma jupe froissée et mes jambes. Tout est normal. Je passe la main sur mes oreilles et mes cheveux. Je suis humaine jusqu'au bout des ongles.

— Ne sois pas déçue, ajoute-t-elle en m'étreignant. Estime-toi heurrreuse de ne pas être en train de chasser avec les autres. Oui, il est possible de mener une existence plus ou moins normale en tant que vampirrre. On peut avoir un métier, comme moi. On peut voyager, s'amuser, aller dans une station santé, comme celle où j'ai été en Pennsylvanie. On peut avoir des amis, être amourrreux et même fonder une famille. Mais on est différrrent. C'est un fardeau qu'on porte constamment avec soi.

Il y a une note de tristesse dans sa voix. Je l'étreins à mon tour, en pressant ma joue chaude sur son visage froid.

J'imagine Alexandra sous sa forme de chauve-souris, quelque part dans la nuit, montrant ses crocs pour la première fois. A-t-elle peur? Je me souviens du jour où elle voulait être seule dans les toilettes de l'école. Était-ce parce que son reflet dans le miroir commençait déjà à disparaître? Ou parce que d'autres changements terrifiants s'étaient amorcés?

J'ai une foule de questions à poser à Margot. Des questions sur sa vie, sur Alexandra, sur moi. Mais en ce moment, une seule chose me tracasse :

— Que voulais-tu dire, vendredi dernier, quand tu as mentionné que ce serait un grand soir pour moi? J'étais certaine que tu parlais du Rituel Nocturne.

Elle incline la tête pour réfléchir. Puis ses yeux s'écarquillent.

— Ah! dit-elle en gloussant. Ta mèrrre et moi avons passé beaucoup de temps ensemble la semaine dernièrrre. Elle m'a dit que tu allais à une soirée ce soirrr. Ça m'a rappelé ma jeunesse en Rrroumanie et les fêtes de mon école. Je parlais de la fête, ma jolie. C'est tout.

Je demeure silencieuse un moment, pour mieux réfléchir. Après toutes ces émotions, j'apprends que je ne suis pas une vampire! Pourtant, j'en étais si sûre! Tellement que j'étais devenue une nouvelle version de moi-même. Une version plus forte, plus courageuse. Peut-être que ce n'est pas une mauvaise chose. Peut-être que je n'ai pas besoin de magie, d'horreur ou de longs crocs pour changer. Il me fallait seulement un peu de confiance en moi.

Après tout, qui aurait cru que je deviendrais si douée pour le volley-ball?

— Au fait, dit Margot en tapotant sa montre, tes amis doivent t'attendre à la fête! As-tu encorrre le temps d'y aller? Peut-être qu'un beau garçon t'attend là-bas...

Je me sens rougir sous son regard pétillant.

— Je suppose que je peux arriver à temps si je me dépêche, dis-je en prenant le sac à main de Gaby.

J'en sors mon cellulaire et m'aperçois que j'ai raté une vingtaine d'appels et deux fois plus de textos.

Gaby doit être morte d'inquiétude.

— Allez, je t'accompagne, propose Margot en m'aidant à me relever. Passons par derrière pour que tes parrrents ne nous voient pas.

J'ajuste ma jupe et elle reprend son châle. Son bras sur mes épaules, elle me guide jusqu'à une porte dissimulée qui s'ouvre sur une ruelle donnant sur le 79e rue.

— Quand retournes-tu en Roumanie? lui dis-je en marchant vers l'école.

— Demain, répond-elle avec un soupir rempli de tristesse. Et je rrrapporte mes chauves-souris avec moi. Avant de partir, je vais les rrremplacer par des chauves-souris empaillées pour l'exposition. Mais ne t'inquiète pas. Tu pourras m'envoyer des courriels quand tu voudras. Surtout quand tu fais de l'insomnie, ajoute-t-elle avec un clin d'œil.

— C'est promis, lui dis-je.

Je ne révélerai jamais le secret de Margot à mes parents. Mais maintenant que nous pouvons discuter ouvertement, elle et moi, j'ai hâte de lui écrire. De plus, comme je dois remettre mon devoir de généalogie dans deux semaines, j'ai des détails à vérifier avec elle.

Une fois à l'école, Margot me donne un baiser sur la joue, puis s'éloigne dans la nuit, en direction du musée ou à la rencontre de ses chauves-souris.

L'esprit enflammé, j'entre dans l'école. Les couloirs sont déserts, mais j'entends de la musique en provenance du gymnase. Impatiente de voir Gaby, Hugo et tous mes amis, je me mets à courir et ouvre les portes du gymnase.

— Bienvenue à l'Halloween à Hollywood! Souris pour la photo! s'écrie un paparazzi en pointant son appareil sur moi.

Éblouie par le flash, je prends la pose avec bonne humeur.

— En quoi es-tu déguisée? demande quelqu'un.

J'avais oublié que je n'ai plus de crocs ni de faux sang. Je souris et réponds, en haussant les épaules :

— En moi-même. Emma-Rose Blanchard.

— Génial, dit l'un des paparazzis.

Une de ses copines chuchote :

— C'est elle qui a fait toute la décoration!

Au même moment, les portes s'ouvrent derrière moi. Je me retourne et vois entrer Alexandra Lambert. Sa robe rose est un peu chiffonnée, son diadème est de travers et elle a une expression craintive. La chasse doit être terminée. Elle a repris sa forme humaine.

Je n'ai aucune idée de ce qu'elle a vécu ce soir. Mais quand elle regarde les appareils photo d'un air terrifié, je devine ce qu'elle pense.

Je m'écrie aussitôt, en me précipitant pour la

prendre par le bras :

— Pas de photo! Pas de photo, s'il vous plaît!

Je la guide à l'écart du tapis rouge et des paparazzis.

— Je... je t'ai vue... chuchote-t-elle, les yeux écarquillés. Pourquoi étais-tu là? Tu n'es pas... tu n'es pas devenue une...

— Non, dis-je, encore sous le choc. Mais je connais l'impératrice. Je sais tout. Et je ne dirai rien à personne. Je te le promets. Ce sera notre secret.

— Vraiment? Tu ne diras rien? Même pas à Abby?

— Heu, qui est Abby? dis-je en fronçant les sourcils.

Alexandra me regarde comme si c'était moi qui venais de dire quelque chose de bizarre.

— Ta meilleure amie! La fille qui est à côté de toi pendant les réunions du conseil!

— Oh! dis-je avec un gloussement. *Gaby!*

De toute évidence, le fait d'être une vampire n'a pas tellement changé Alexandra.

— Oui, je le promets, dis-je. Même pas à Gaby.

— Merci, Emma-Rose, dit Alexandra d'une voix qui semble sincère. Je ne peux rien dire à mes amis, alors je suis contente de savoir que je pourrai te parler, si j'en ai besoin.

Je suis étonnée quand elle me serre le bras. Sa main est glaciale, comme celle de ma grand-tante.

— Pas de problème. Je ne sais pas si je pourrai t'être utile.

Elle me serre le bras plus fort.

— Je suis désolée d'avoir été méchante avec toi, Emma-Rose. J'ai toujours pensé que tu ne m'aimais pas.

Tu avais raison, me dis-je, mais je garde cette pensée pour moi. Je me contente de répliquer :

— Ne t'en fais pas avec ça.

Je sais que nous ne serons jamais de vraies amies, mais le secret que nous partageons nous liera toujours, d'une certaine façon.

— Alexandra! Tu es arrivée!

Ève et Marina s'approchent en sautillant et en gloussant. J'en profite pour m'éclipser.

Le gymnase est rempli à craquer. La soirée Halloween à Hollywood semble un succès. La danse bat son plein. Robert ne cesse d'entrer et sortir du brouillard émis par la machine. Zora, Janie et Matt sont rassemblés autour du chaudron de pommes. Des élèves mangent des bonbons et d'autres posent pour les paparazzis. Padma et Cathy dansent avec des filles de l'équipe de soccer. Elles me font signe en souriant. Je leur envoie la main.

Puis j'aperçois Gaby et Hugo, près du bol de

bonbons. Ils sont penchés sur le téléphone cellulaire de Gaby. Elle doit être en train de m'envoyer un message. Je me faufile à travers la foule pour aller les retrouver.

Je m'écrie :

— Je suis ici! Je suis vivante!

Gaby lève les yeux et son visage s'illumine. Elle me serre dans ses bras.

— Je commençais à paniquer! s'exclame-t-elle en reculant d'un pas pour m'observer, comme pour s'assurer que je suis indemne. Pourquoi n'as-tu pas appelé ni envoyé de message?

— Comment ça s'est passé? demande Hugo avec une expression inquiète. Est-ce que ça fait mal de se métamorphoser? Es-tu allée chasser tout de suite après?

Je me mets à rire.

— Les amis, je promets de tout vous raconter en détail plus tard, mais je ne suis pas une vampire, finalement.

— Tu veux dire que tu es encore une novice? demande Hugo en fronçant les sourcils.

— Non, je n'ai jamais été une novice. Et je ne deviendrai jamais une vampire. C'était seulement dans mon imagination.

Les yeux d'Hugo s'écarquillent et Gaby me

contemple, bouche bée. J'espère que Gaby ne dira pas : Je le savais. Mais elle se contente de demander :

— Et ta grand-tante Margot? Est-elle une vampire?

— Oh oui, dis-je en souriant. Mais c'est un secret.

Ils hochent tous deux la tête d'un air solennel.

— Je n'arrive pas à croire que tu n'es pas une vampire, me dit Gaby.

— Je pensais que tu ne croyais pas que j'en étais une, dis-je en tendant la main pour agiter une de ses antennes.

— Que veux-tu? Tu m'as convaincue, dit-elle avec un haussement d'épaules.

Je m'apprête à la taquiner, quand un beau garçon costumé en pirate s'approche de nous. Il est grand, a la peau noire et de grands yeux bruns.

— Gaby? dit-il. Est-ce que c'est l'amie que tu attendais?

— Oh! dit Gaby d'un air troublé. Oui! Milo, voici ma meilleure amie, Emma-Rose. Emma, je te présente Milo.

Le fameux Milo! Je lui souris, et il sourit à son tour. Je remarque qu'il a un appareil dentaire — une chose que Gaby et lui auront bientôt en commun!

Il demande à Gaby :

— Heu, maintenant qu'elle est arrivée, est-ce qu'on peut danser?

Gaby me jette un coup d'œil. Je manifeste mon

approbation par un petit hochement de tête. Milo et elle vont sur la piste de danse. Je les observe, heureuse pour mon amie.

Puis je me tourne vers Hugo. Je suis soudain mal à l'aise et ne sais pas quoi lui dire.

— Bon, dit Hugo avec un sourire timide.

Un très beau sourire. Je remarque qu'il a retiré ses crocs.

— Bon, dis-je en me dandinant d'un pied sur l'autre. Maintenant que tu sais que je ne suis pas une vampire, trouves-tu que je suis ordinaire et ennuyeuse?

— Toi? dit-il en éclatant de rire. Tu ne seras jamais ennuyeuse, Emma-Rose!

Mon cœur fait un bond dans ma poitrine. Je pense à ce que Gaby m'a dit à propos d'Hugo et de ses sentiments pour moi. A-t-elle raison? Et moi, est-ce que je suis amoureuse de lui?

Il est peut-être temps que je l'admette.

— Bon, répète Hugo en me tendant la main. Comme tu n'es ni une chauve-souris, ni une vampire, aimerais-tu danser avec moi?

Je hoche la tête, le cœur gonflé de joie.

— D'accord!

Je suis très nerveuse, encore plus que lors du Rituel Nocturne. Hugo semble nerveux, lui aussi. Il prend ma main et nous nous dirigeons vers la piste de danse. Le D.J. fait jouer une chanson intitulée *Les monstres.* Hugo me fait tourner, et nous rions tous les deux.

En dansant, je jette un coup d'œil aux fenêtres, au-dessus des gradins. Je pourrais jurer que la silhouette noire d'une chauve-souris en vol se découpe sur la pleine lune d'octobre. C'est peut-être ma grand-tante Margot. Ou un autre vampire. Ou bien une chauve-souris ordinaire, qui vole tout bonnement dans le ciel de New York.

Ou peut-être, me dis-je avec un sourire, que c'est simplement mon imagination.

VOICI UN APERCU D'UN AUTRE RÉCIT D'ÉPOUVANTE!

— C'est une histoire horrible, dit Claudia Sinclair presque en chuchotant.

Elle est appuyée contre des coussins sur le lit de sa meilleure amie, Joanie Monroe. Elle tient un cochon en peluche qu'elle écrase entre ses mains tout en parlant.

— Raconte! dit Joanie en examinant ses ongles d'un œil critique.

Assise en tailleur sur le tapis blanc de sa chambre, elle se met du vernis à ongles de la même teinte orange qu'un cône de signalisation. Les deux copines sont dans l'appartement des parents de Joanie, où elles discutent des derniers potins de l'école.

Claudia secoue la tête.

— Je n'ose même pas le dire à haute voix.

Cette fois, Joanie lève la tête.

— Claudia! s'exclame-t-elle d'un ton exaspéré.

— Quoi? réplique son amie en ouvrant de grands yeux bruns innocents.

— Tu fais toujours ça. Tu prétends toujours que c'est un truc horrible, et ensuite tu ne veux pas me dire ce que c'est.

— Eh bien, c'est vraiment horrible, dit Claudia.

— Allez, dis-le!

— Bon, d'accord. Mais tu l'auras voulu! répond-elle en prenant une grande inspiration. Aujourd'hui, j'ai vérifié mes courriels pendant qu'on était à la bibliothèque. Jade Vincent m'a envoyé un message au sujet d'une fille du New Jersey qui est morte.

Joanie demande, comme s'y attendait Claudia :

— Morte comment?

— Apparemment, des filles de son école la taquinaient, explique Claudia. Elles l'ont poussée dans une bouche d'égout...

— Elles l'ont poussée dans une bouche d'égout? l'interrompt Joanie. Ce n'est pas taquiner, ça! C'est complètement tordu!

Claudia lève les sourcils, l'air de dire : Veux-tu entendre cette histoire, oui ou non?

— Excuse-moi, dit Joanie. Continue.

— Eh bien, elle n'est jamais remontée, chuchote Claudia. Alors, des policiers sont descendus dans l'égout et ont trouvé son corps. Elle s'était brisé le cou en tombant. Quand les policiers ont parlé aux filles qui l'avaient poussée, elles ont menti en disant qu'elle était tombée par accident. Tout le monde a cru leur version.

— Ça alors, c'est horrible! dit Joanie.

— Je sais. Mais ce n'est pas tout! Il s'est passé autre chose...

Sur le point d'aborder la partie la plus terrifiante, Claudia serre un peu plus le cochon en peluche pour se réconforter.

— Il fallait faire suivre le courriel après l'avoir lu, pour que tout le monde sache ce qui est vraiment arrivé à cette fille, explique Claudia. Mais un garçon qui est l'ami du cousin de Jade ne l'a pas fait suivre. Ce soir-là, quand il a pris sa douche, il a entendu un rire démoniaque. Aussitôt qu'il est sorti de la douche, il est allé à son ordi pour faire suivre le courriel, mais il était trop tard. Le lendemain, la police l'a trouvé mort dans un égout. Et quand ils ont fait une ontopsie...

— Autopsie, dit Joanie.

— Quoi? demande Claudia en clignant des yeux.

— Quand on ouvre le corps de la personne morte, ça s'appelle une autopsie, précise Joanie, qui aime bien les séries télé sur les hôpitaux.

— Bon, autopsie, peu importe, dit Claudia, contrariée de se faire interrompre dans la partie la plus effrayante de l'histoire. Ils ont constaté que le cou du garçon était brisé exactement au même endroit que la fille. Dans le courriel, il était écrit d'envoyer le message à cinq personnes, avec l'en-tête « Elle a été poussée ». Sinon tu te réveillerais au fond d'un égout dans le noir, et le fantôme de la fille viendrait te chercher!

Claudia serre le cochon encore plus fort.

Mais Joanie n'a pas l'air effrayée du tout.

— J'espère que tu n'as pas fait suivre ce courriel, dit-elle à son amie avec un regard sévère.

— Bien sûr que je l'ai fait suivre! s'exclame Claudia.

Joanie lève les yeux au ciel.

— Claudia, c'est évident que cette histoire est complètement fausse! Les gens inventent ces idioties juste pour que tu fasses suivre leur courriel. Il y avait probablement un virus annexé au message.

Claudia essaie de se souvenir s'il y avait une pièce jointe.

— Je ne crois pas, dit-elle d'un ton incertain.

Avec un tintement de bracelets, elle écarte sa longue frange noire de ses yeux en soupirant. Elle se demande si elle a bien fait. Qu'est-ce qui est pire : un virus informatique ou un fantôme tueur? À son avis, il y a de gros risques dans les deux cas.

Cela ne fait que renforcer sa conviction que le monde est rempli de dangers cachés. Malgré le dicton,

Claudia croit que ce qu'on ne sait pas peut probablement nous faire du mal. Ce n'est jamais une bonne idée de prendre des risques.

Joanie est le contraire de Claudia. Elle aime courir des risques. Elle fait du patin à roues alignées, mange des sushis et achète des vêtements dans les friperies. Même sa coiffure, un carré plongeant avec une longue mèche décolorée dans la frange, est audacieuse. Joanie s'est fait faire cette mèche un après-midi, après l'école. Elle est simplement entrée dans un salon de coiffure et s'est assise dans le fauteuil comme si elle avait fait ça toute sa vie. Même si ses parents détestent sa mèche, ils ne peuvent rien faire. Après tout, comme dit Joanie, ce sont ses propres cheveux!

Joanie a encouragée Claudia à avoir une mèche, elle aussi. Mais elle craint qu'une mèche décolorée dans ses cheveux noirs lui donne une allure de mouffette. De plus, elle a entendu dire que le peroxyde causerait le cancer.

— Je ne sais pas pourquoi tu crois Jade Vincent, de toute façon, dit Joanie en refermant le flacon de vernis. Elle raconte toujours n'importe quoi, celle-là! Tu te souviens quand elle a dit à tout le monde qu'on pouvait mourir si on avalait de la gomme à mâcher? Ce n'est pas vrai, tu sais. J'ai vérifié.

— Mais cette fois, c'est arrivé à l'ami de son cousin!

proteste Claudia, qui n'avale jamais sa gomme. Elle le saurait si c'était vrai, non? C'est horrible de penser que cela a pu arriver à quelqu'un qu'on a presque failli connaître!

Claudia peut imaginer clairement le garçon se réveillant au fond d'un égout, dans l'obscurité, inquiet et désorienté. Et quelque part dans la noirceur, tout près de lui, un fantôme assoiffé de vengeance, prêt à...

— Arrête de penser à ça! lui ordonne Joanie en pointant son ongle orange vers son nez. Je sais que tu vas être obsédée par cette histoire. Arrête tout de suite!

Joanie a raison. Ce genre d'histoire prend toute la place dans son cerveau. Même si elle le voulait, elle ne pourrait pas l'effacer. C'est un peu comme avoir un bobo, qu'on n'arrête pas de tâter, même si on sait que cela ne fait qu'empirer le problème.

— Je ne peux pas m'en empêcher, dit-elle à Joanie. C'est tellement... horrible.

— Ce qui est horrible, dit Joanie, c'est que tu es en train d'assassiner mon cochon!

Claudia baisse les yeux. Elle écrase tellement le cochon qu'on dirait qu'elle tente de l'étrangler.

Elle éclate de rire et lance la peluche au visage de Joanie, qui baisse la tête en souriant pour l'éviter. C'est ce qui est bien avec Joanie. Elle réussit toujours à la faire rire et à chasser ses idées noires.

— Parlons plutôt de ce qu'on va porter pour la fête de Marcia, dit Joanie pour changer de sujet.

Marcia Medina, une élève de leur école secondaire, organise une fête la première fin de semaine de l'été. Tous les élèves de l'école ne parlent que de ça.

— Il faut que tu voies la robe que je veux acheter, dit Joanie.

Elle se lève et va à son ordinateur. En faisant très attention de ne pas abîmer ses ongles fraîchement vernis, elle tape une adresse.

Claudia se lève et vient regarder par-dessus son épaule.

— Oh! dit-elle en voyant la robe apparaître à l'écran.

Elle est à carreaux verts, avec un corsage bain-de-soleil à fronces. On dirait un croisement entre un maillot de bain et une jupe écossaise.

— Est-ce que... est-ce qu'il y a d'autres couleurs? demande Claudia.

— Non, c'est la seule, dit Joanie, sans saisir l'allusion. Elle est jolie, hein?

— Oui, ment Claudia.

Cela ne vaut pas la peine de se disputer au sujet d'une robe.

— Et toi, que vas-tu porter? demande Joanie en se

tournant vers son amie.

— Je pensais porter des jeans et ma camisole corail.

Joanie secoue la tête, faisant voler ses cheveux.

— Trop conservateur.

— Qu'y a-t-il de mal à être conservateur? demande Claudia. Ce n'est pas parce que j'ai déjà porté cette tenue qu'elle est ennuyeuse.

Joanie lève les yeux au ciel.

— Je ne dis pas que c'est ennuyeux, mais tu as l'air d'un brigadier scolaire avec cette camisole. C'est le temps de porter quelque chose de nouveau et d'excitant. Dois-je te rappeler que cette soirée a lieu la première fin de semaine du premier été...

— Du reste de notre vie! termine Claudia en souriant.

Joanie et elle ont déjà planifié tout leur été.

— On va se voir tous les jours! ajoute-t-elle.

— Et on va rencontrer deux beaux gars, dit Joanie.

— Qui seront aussi deux meilleurs amis, renchérit Claudia.

— Ils deviendront nos copains. Tous les quatre, on va tout faire ensemble.

— Comme aller à la plage...

— Et au parc d'attractions...

— Mais pas dans les montagnes russes! s'empresse

de dire Claudia. Je ne vais jamais dans les montagnes russes.

— D'accord, dit Joanie en haussant les épaules. Mon petit ami et moi, on ira dans les montagnes russes, pendant que toi et le tien, vous irez dans le carrousel ou un truc du genre. De toute façon, ce sera l'été le plus extraordinaire de notre vie!

Le téléphone cellulaire de Claudia sonne. Elle le sort de sa poche et regarde le numéro.

— C'est ma mère. Elle veut probablement que je rentre pour souper.

— Demande-lui si tu peux manger ici, dit Joanie.

Claudia ouvre le rabat du téléphone :

— Allô! Est-ce que je peux manger chez Joanie?

— C'est comme ça que tu réponds au téléphone, maintenant? réplique sa mère.

— Bonjour, maman, dit Claudia en soupirant. Bon, est-ce que je peux?

— Pas ce soir, Claudia. Ton père et moi avons une nouvelle à t'annoncer. Nous en parlerons pendant le souper. Sois ici dans quinze minutes, d'accord?

— D'accord.

— Qu'est-ce qu'elle a dit? demande Joanie quand elle a raccroché.

— Elle veut que je rentre. Ils ont une grande nouvelle à m'annoncer.

— Tu ferais mieux de te méfier, dit Joanie. C'est ce que mes parents ont dit quand ils m'ont annoncé la naissance de la Peste.

La Peste, c'est le petit frère de Joanie, qui a cinq ans. Elle l'appelle ainsi parce qu'il est toujours en train de fouiller dans ses affaires et de la rendre folle.

Claudia ramasse son sac à dos et passe la bretelle sur son épaule.

— Appelle-moi plus tard, dit Joanie.

— D'accord.

Les deux amies s'étreignent pour se dire au revoir, puis Claudia se dirige vers la porte.

En sortant de l'appartement, elle emprunte l'escalier pour descendre les cinq étages. Elle ne prend jamais l'ascenseur depuis qu'elle a vu un reportage sur un câble d'ascenseur brisé qui a causé la mort de quatre personnes. Claudia craint beaucoup de choses, mais une chute mortelle est définitivement en tête de liste.

Claudia et Joanie vivent dans deux immeubles de brique rouge identiques, à deux pâtés de maisons de distance, dans l'est de Manhattan, à New York. Claudia marche lentement, savourant le début de la soirée. Les branches d'arbres qui surplombent le trottoir sont chargées de feuilles, et l'air doux semble rempli des promesses de l'été à venir. Même la foule de l'heure de pointe, avec ses porte-documents et ses complets, semble moins pressée que d'habitude.

Tout en marchant, Claudia essaie de deviner ce que ses parents veulent lui annoncer. Selon elle, il est peu probable qu'ils veuillent avoir un bébé. Il n'y a pas de place pour une autre personne dans leur petit appartement de quatre pièces.

Maman a peut-être perdu son emploi, pense Claudia avec un pincement au cœur. Ou bien papa a été mis à la porte de l'école où il travaille. Alors, on va devoir vivre de l'aide sociale. On devra quitter notre appartement et déménager dans un autre quartier. Je devrai aller à une nouvelle école où les élèves seront méchants et pousseront les autres dans les égouts...

— Arrête! se dit-elle, interrompant le fil de ses pensées. Ce n'est probablement rien de grave.

Elle soupire. Elle aurait préféré que sa mère lui annonce la nouvelle au téléphone. Elle déteste les surprises, même les bonnes.

En arrivant, elle remarque qu'une partie de la rue est bloquée par des cônes orange. Deux ouvriers de la ville portant des casques de sécurité bleus travaillent dans une bouche d'égout ouverte.

Claudia frissonne et pense au fantôme de l'égout. Elle ajuste la bretelle de son sac à dos et court jusque chez elle.

À PROPOS DE L'AUTEURE

Ruth Ames est née et a grandi à New York, où elle vit toujours. Elle a écrit plusieurs romans à succès pour jeunes adultes, publiés sous un pseudonyme. Lorsqu'elle était jeune, elle adorait lire des romans d'épouvante et s'imaginait que son immeuble était hanté. Bien que certains membres de sa famille soient originaires de Transylvanie, elle est presque certaine qu'ils ne sont pas des vampires...